Petits *Classiques*

# LAROUSSE

Collection fo[...]
Agrégé des L[...]

# Britannicus

## Racine

*Tragédie*

Édition présentée,
annotée et commentée
par Marie-José FOURTANIER,
porfesseur d'université
en langue et littérature françaises

© Éditions Larousse 2006
ISBN : 978-2-03-586158-0

# SOMMAIRE

## Avant d'aborder l'œuvre

## Britannicus
*JEAN RACINE*

## Pour approfondir

# AVANT D'ABORDER
# L'ŒUVRE

# Fiche d'identité de l'auteur

# RACINE

**Nom :** Jean Racine.

**Naissance :**
décembre 1639
à La Ferté-Milon dans
l'Aisne, en Picardie.

**Famille :** milieu
relativement modeste
(fonctions exercées dans
la petite magistrature
et dans la perception
de la gabelle, ou impôt
sur le sel).

**Formation :** en 1649,
débute aux petites
écoles de Port-Royal,
où l'enseignement
est assuré par
des religieuses et des
maîtres jansénistes ;
en 1653, quitte Port-
Royal pour le collège
de Beauvais (études
de grec et de latin) ;
en 1655-1658, revient
à Port-Royal ; enfin,
achève sa formation
philosophique au collège
d'Harcourt à Paris.

**Début de sa carrière :** en 1660-1663, succès d'estime
avec des odes dédiées à Marie-Thérèse, épouse
de Louis XIV et nouvelle reine de France,
et au roi ; *La Thébaïde* (tragédie) en 1664 ;
*Alexandre le Grand* (tragédie) en 1665.

**Premiers succès :** en 1667, triomphe de sa nouvelle
tragédie, *Andromaque*, mais relatif échec en 1668
de sa comédie *Les Plaideurs* ; accueil partagé mais
retentissant de *Britannicus* en 1669.

**Tournant de sa carrière :** 1670-1677, années de gloire
avec les tragédies *Bérénice*, *Bajazet*, *Mithridate*,
*Iphigénie* et surtout *Phèdre*.

**Dernière partie de sa carrière :** de 1678 à 1688,
travail d'historiographe du roi et retraite
du théâtre ; en 1689 et 1691, deux tragédies
édifiantes, d'inspiration biblique, jouées
à Saint-Cyr, *Esther* et *Athalie*.

**Mort :** le 21 avril 1699. Il est inhumé, selon
ses vœux, à Port-Royal.

JEAN

RACINE,

Né à la Ferté-Milon, le 21 Décembre 1639,
Mort à Paris, le 22 Avril 1699.

Portrait de Jean Racine.

# Repères chronologiques

| Vie et œuvre de Racine | Événements politiques et culturels |
|---|---|
| **1639**<br>Naissance à La Ferté-Milon. | **1640**<br>**Publication posthume de l'*Augustinus* de Jansénius ;** diffusion du jansénisme en France et en Europe ; *Horace, Cinna* de Corneille. |
| **1641**<br>Mort de sa mère. | |
| **1649**<br>**Entre aux petites écoles de Port-Royal influencées par le jansénisme.** | **1642-1643**<br>Mort de Richelieu et de Louis XIII. |
| **1658**<br>Fermeture de Port-Royal ; achève ses études au collège d'Harcourt à Paris. | **1648-1652**<br>La Fronde. |
| | **1653**<br>Condamnation papale du jansénisme ; échec de *Pertharite* de Corneille, qui se retire du théâtre pendant six ans. |
| **1660**<br>Vie mondaine à Paris : rencontre Jean de La Fontaine. Débuts littéraires. | **1656**<br>Pascal commence la rédaction des *Provinciales*. |
| **1664**<br>La troupe de Molière joue la tragédie de Racine *La Thébaïde*. | **1659**<br>*Les Précieuses ridicules* de Molière. |
| | **1660**<br>Mariage de Louis XIV. |
| **1665**<br>Liaison avec la comédienne Marquise Du Parc. *Alexandre le Grand*. Polémique et rupture avec Port-Royal à propos du théâtre. | **1661**<br>**Début du règne personnel de Louis XIV.** |
| | **1664**<br>Persécutions contre les jansénistes ; *Le Tartuffe* de Molière ; *Maximes* de La Rochefoucauld. |
| **1667**<br>Triomphe avec *Andromaque*. | **1665**<br>*Dom Juan* de Molière. |
| **1668**<br>Mort de Marquise Du Parc dans des circonstances troublantes. | **1667**<br>Guerre contre l'Espagne. |
| **1669**<br>Début de la polémique avec Corneille à l'occasion de *Britannicus*. | **1668**<br>*Fables* de La Fontaine (livres 1-6). |

# Repères chronologiques

| Vie et œuvre de Racine | Événements politiques et culturels |
|---|---|
| **1670**<br>Liaison avec la comédienne dite la Champmeslé. Succès de *Bérénice* qui éclipse la pièce de Corneille, *Tite et Bérénice*. | **1672**<br>Guerre contre la Hollande. |
| **1673**<br>Auteur dramatique consacré ; réussite matérielle ; entrée à l'Académie française le 12 janvier ; *Mithridate*. | **1673**<br>Mort de Molière.<br>**1674**<br>*L'Art poétique* de Boileau. |
| **1674**<br>Obtient la charge de trésorier de France ; se lie d'amitié avec Boileau ; participe avec *Iphigénie* aux fêtes célébrant l'annexion de la Franche-Comté. | **1678**<br>*Fables* de La Fontaine (livres 7-11) ; *La Princesse de Clèves* de Madame de La Fayette.<br>**1679**<br>Affaire des Poisons. |
| **1676**<br>Édition collective des œuvres. | **1680**<br>Création de la Comédie-Française le 18 août. |
| **1677**<br>Mariage avec Catherine de Romanet. Le 11 septembre, Racine est nommé avec Boileau historiographe du roi. *Phèdre*, dernière grande tragédie à sujet mythologique. | **1682**<br>La cour s'installe à Versailles.<br>**1683**<br>Mariage secret de Louis XIV et de Mme de Maintenon.<br>**1684**<br>Mort de Corneille. |
| **1678**<br>Cesse d'écrire pour le théâtre ; début de la réconciliation avec Port-Royal. | **1685**<br>Révocation de l'édit de Nantes. |
| **1689-1691**<br>Écrits deux tragédies bibliques, *Esther* et *Athalie*. | **1687**<br>**Querelle des Anciens et des Modernes.** |
| **1690**<br>Nommé gentilhomme de la chambre ; se consacre à l'éducation de ses sept enfants. | **1688**<br>*Les Caractères* de La Bruyère. Guerre de la ligue d'Augsbourg. |
| **1699**<br>Meurt le 21 avril et est inhumé à Port-Royal. | |

# Fiche d'identité de l'œuvre

# Britannicus

**Genre :** théâtre, tragédie.

**Auteur :** Jean Racine, XVIIᵉ siècle.

**Objets d'étude :** tragique et tragédie ; le théâtre : texte et représentation ;

le classicisme ; l'argumentation.

**Registres :** tragique et pathétique ; accents lyriques.

**Structure :** cinq actes.

**Forme :** dialogue en alexandrins.

**Sujet :** *Britannicus* peut s'analyser comme une tragédie du pouvoir. Néron, le jeune empereur de Rome, doit son pouvoir à Agrippine, sa mère, qui a fait assassiner son époux, l'empereur Claudius, après l'avoir amené à désigner comme héritier son fils d'un premier mariage, Néron, au détriment du propre fils de Claude, Britannicus. Tout au long de la tragédie, Néron se révèle comme "un monstre naissant, mais qui n'ose encore se déclarer" (Racine, seconde préface) : fils ingrat, il cherche à se débarrasser de l'influence de sa mère ; il persécute Britannicus, l'héritier légitime de l'Empire romain, et finit par l'empoisonner ; par désir et par haine, il enlève la belle Junie qui aime le malheureux Britannicus.

**Représentations de la pièce :** La première représentation de *Britannicus* a eu lieu à Paris, le 13 décembre 1669 à l'hôtel de Bourgogne. Pour cette première représentation, nous ne disposons d'aucune indication de mise en scène. Toutefois, Boursault, un écrivain partisan de Corneille et donc adversaire de Racine, dans une nouvelle publiée en 1690 et intitulée *Artémise et Poliante*, nous en a laissé un compte rendu pittoresque (voir « L'œuvre et ses représentations », p. 152 et suiv.). À l'époque moderne, la pièce a été reprise par plusieurs metteurs en scène qui lui ont donné des significations différentes en insistant tantôt sur la tragédie du pouvoir, tantôt sur les rapports mère/fils, tantôt encore sur la vulnérabilité et l'impuissance des victimes.

Talma, dans le rôle de Néron.

# L'œuvre dans son siècle

## Le contexte historique

En France, la première moitié du XVIIe siècle est marquée par l'affrontement entre l'ancien ordre féodal et le nouvel ordre monarchique. Ce dernier cherche à s'installer sous l'action du cardinal de Richelieu, ministre de Louis XIII, qui organise la centralisation du pouvoir et fait reculer les exigences du système féodal des grands seigneurs. Sous la régence d'Anne d'Autriche, veuve de Louis XIII et mère du roi mineur Louis XIV, le cardinal Mazarin poursuit l'action de Richelieu. De 1648 à 1652, la Fronde, d'abord parlementaire, puis des princes, représente l'ultime résistance de l'aristocratie face à la montée du pouvoir royal. Sur ces événements de la Fronde, on pourra feuilleter, sinon lire, avec profit les *Mémoires* du cardinal de Retz, rédigés en 1670-1675.

Dès lors se met en place la monarchie de droit divin, système politique dans lequel le roi ne doit de compte qu'à Dieu et qui, préparé par Mazarin, s'incarne en Louis XIV. Le jeune Roi instaure, dès 1661, à la mort de Mazarin, son règne personnel. Il serait intéressant de voir à ce propos le film de Roberto Rossellini, *La Prise du pouvoir par Louis XIV* (1956). Son premier acte d'autorité est le renvoi du surintendant général des Finances, Nicolas Fouquet, à qui le Roi reproche tout à la fois des malversations et un train de vie somptueux : Fouquet, dont la dangereuse devise était Quo non ascendet ?, c'est-à-dire littéralement « Jusqu'où ne monterai-je pas ? », et l'emblème un écureuil, était l'ami et le protecteur de nombreux écrivains et poètes dont le fabuliste La Fontaine, qui écrivit à sa demande *Le Songe de Vaux*, récit poétique dans lequel sont décrits le château et les jardins de Vaux-le-Vicomte, propriété de Fouquet. Tant de magnificence indisposa Louis XIV, et, le matin du 5 septembre 1661, le ministre est arrêté par le capitaine des mousquetaires, d'Artagnan, et aussitôt enfermé à la forteresse de Pignerol. Sa chute brutale survient à peine six

# L'œuvre dans son siècle

mois après la mort de son mentor, le Premier ministre Mazarin. Elle laisse le champ libre au jeune roi pour diriger comme il l'entend les affaires du royaume. Par la suite, il sait s'entourer d'hommes compétents : Colbert, par exemple, met de l'ordre dans les finances et développe le commerce ainsi que l'industrie, et Vauban consolide les frontières du Nord. Il met les aristocrates sous tutelle en leur confiant des tâches militaires (guerre contre l'Espagne, guerre contre la Hollande) et les attache, à partir de 1682, à la cour de Versailles en leur attribuant des charges honorifiques et en les obligeant à un train de vie fastueux.

## Le contexte culturel et littéraire

JEAN RACINE, par une sorte de signe du destin, naît à peu près au moment où est éditée à titre posthume l'œuvre d'un certain Jansénius, évêque d'Ypres, qui prétendait revenir à la pure doctrine de saint Augustin concernant la question de la grâce. De quoi s'agit-il ? Selon la doctrine chrétienne, l'homme est déchu depuis le péché originel et ne peut être sauvé que par les mérites du Christ ; le salut ne peut donc s'opérer que par l'action surnaturelle de la grâce de Dieu. Mais, puisque, parallèlement, l'homme est considéré comme libre, comment est-il possible de concilier la liberté de choix de ses actes et l'efficacité de la grâce divine ? Cette discussion théologique – qui a opposé au XVIIᵉ siècle les jésuites, qui représentent une vision optimiste de la grâce, et les jansénistes, une vision plus rigoureuse – anime les *Provinciales* (1656-1657) du philosophe Blaise Pascal, qui s'est retiré à l'abbaye de Port-Royal (plus tard rasée sur l'ordre de Louis XIV en 1711). La stricte doctrine janséniste a contribué à former l'esprit de Racine, élevé dans une famille gagnée au jansénisme et éduqué dans son jeune âge à Port-Royal. Voici comment le jeune Racine chantait Port-Royal en 1656 : « Saintes demeures du silence, / Lieux pleins de charmes et d'attraits, / Port où, dans le sein de la paix, / Règne la Grâce et l'Innocence... »

# L'œuvre dans son siècle

Dans le domaine littéraire, le premier tiers du siècle est marqué par l'esthétique baroque, caractérisée par le mouvement, l'instabilité, la volute, et par un raffinement qui se déploie dans les romans précieux comme *L'Astrée* (1607-1624) d'Honoré d'Urfé ou *Artamène ou Le Grand Cyrus* (1649-1653) de Georges et Madeleine de Scudéry. Mais une forte volonté politique d'ordre, qui se manifeste notamment avec la création de l'Académie française par Richelieu en 1635, s'impose peu à peu. Le règne personnel de Louis XIV favorise ce développement en soutenant le génie créatif de Molière, de La Fontaine ou de La Bruyère. Tous les arts, dès lors, concourent à exalter le pouvoir royal : l'agrandissement monumental incessant du relais de chasse qu'était auparavant le château de Versailles fait de ce palais, grâce aux architectes Le Vau et Hardouin-Mansart, l'emblème de la monarchie absolue ; les jardins dessinés par André Le Nôtre pour le château serviront de référence à l'art des jardins en Europe ; Charles Le Brun décore la voûte de la galerie des Glaces, le peintre Mignard devient le portraitiste du roi et de la cour.

## Le théâtre, une manifestation ritualisée

Le succès prodigieux du *Cid* de Corneille, en 1637, qui marque l'apogée de la tragi-comédie et du courant baroque, est attesté, entre autres, par une remarque de La Bruyère dans *Les Caractères* : « *Le Cid* n'a eu qu'une voix pour lui à sa naissance, qui a été celle de l'admiration. » Mais la volonté d'ordre qui cherche à s'imposer sur le plan politique commence à se manifester dans le domaine littéraire avec la mise en place des règles dramatiques qui définiront l'esthétique classique. Inspirées de textes de l'Antiquité comme la *Poétique* d'Aristote, l'*Institution oratoire* de Quintilien et, surtout, l'*Art poétique* d'Horace, les règles induisent le respect de la bienséance ainsi que les unités de lieu, de temps et d'action. Ce principe classique constituera une des principales divergences entre Corneille et Racine : le premier conçoit l'inspiration de la tragédie dans

# L'œuvre dans son siècle

« les grands sujets qui remuent fortement les passions » et « doivent toujours aller au-delà du vraisemblable » (*Discours et examens*, 1660) ; le second, en revanche, affirme qu'il « n'y a que le vraisemblable qui touche dans la tragédie » (préface de *Bérénice*, 1670). L'une des caractéristiques du classicisme et de son idéal d'ordonnance est de correspondre à la hiérarchie sociale du temps et à l'étiquette de cour. L'éloquence de la chaire (comme les sermons et les oraisons funèbres de Bossuet) dans le domaine religieux et le théâtre dans le domaine profane exigent un public assemblé pour une cérémonie. Le théâtre sera ainsi un art entre tous apprécié et protégé par Louis XIV, même à la fin de son règne, pourtant marqué par un retour à la piété et à l'austérité, comme en témoignent les dernières tragédies de Racine, *Esther* et *Athalie*, jouées à Saint-Cyr, sous l'égide de Mme de Maintenon, l'épouse secrète du Roi.

## Britannicus *dans le théâtre de Racine ?*

Avec *Britannicus*, Racine applique les principes qui régiront toutes ses tragédies jusqu'à *Phèdre* (1677) : la représentation d'une situation proche de son dénouement, une action simple (la prise du pouvoir par Néron) et une extrême stylisation du discours associée à une variété de registres (tragique, pathétique, lyrique), traduisant le souci de privilégier la dimension poétique et esthétique. Après le triomphe d'*Andromaque* (même Charles Perrault, qui n'appréciait guère l'auteur, reconnut que cette tragédie « fit le même bruit à peu près que *Le Cid* »), Racine, qui cherche à concurrencer Molière et sa troupe du Palais-Royal – lequel avait accueilli, quelques années auparavant, sa première pièce, *La Thébaïde* –, écrit en 1668 pour les comédiens de l'hôtel de Bourgogne son unique comédie, *Les Plaideurs*, qui n'obtient, au moment de la réception, ni l'adhésion du public ni celle de la critique, alors que cette pièce sur les absurdités de la justice résonne encore aujourd'hui d'éclats de rire et d'échos très modernes.

# L'œuvre dans son siècle

**E**N 1669, Racine revient définitivement au genre tragique avec *Britannicus*, joué pour la première fois le 13 décembre. En choisissant un sujet tiré de l'histoire romaine, Racine se place sur le domaine de prédilection de Corneille, comme en témoignent nombre de tragédies de cet auteur, et parmi les plus célèbres : *Horace* (1640), *Cinna* (1642), *Polyeucte* (1643), *La Mort de Pompée* (1643), *Othon* (1664), etc. Il serait d'ailleurs très pertinent de comparer cette tragédie de Corneille sur l'empereur romain Othon (qui régna à peine trois mois, du 15 janvier au 15 avril 69, après Néron et Galba) à celle de Racine, *Britannicus*. Lors de la représentation de *Britannicus*, la rivalité entre Corneille et Racine, latente depuis la création d'*Alexandre le Grand* en 1665, devient ouvertement polémique. Avec sa tragédie du pouvoir, Racine semble vouloir délibérément rivaliser avec la grande tragédie romaine de Corneille, *Cinna*, qui traite, mais en sens inverse, le même sujet : dans *Cinna*, l'empereur Auguste évolue de l'exercice de la violence à « la clémence » (c'est le sous-titre de la pièce), tandis que dans *Britannicus*, Néron, dont le règne a commencé sous les meilleurs auspices, se révèle progressivement un impitoyable tyran. Racine signale d'ailleurs cette proximité au début de sa tragédie dans les propos apaisants d'Albine à Agrippine :

> « [...]. Enfin Néron naissant
> A toutes les vertus d'Auguste vieillissant. »
>
> (I, 1, v. 29-30).

**L**A VISÉE DE RACINE, cependant, semble bien éloignée de celle de son vieux rival, Corneille. Les thèmes fondamentaux du théâtre racinien, les pulsions du désir et de la cruauté, dont le spectateur a déjà entendu les échos dans *Andromaque* (1667), sont fortement à l'œuvre dans *Britannicus*, introduisant, dans ce qui pourrait évoquer l'univers de l'humanisme cornélien, les frissons de l'inquiétude et de l'horreur. Après cette première incursion dans l'histoire romaine, Racine y puisera de nouveau à plusieurs reprises, dès l'année suivante, en 1670, avec *Bérénice*, où l'on retrouve le récit d'un début de règne, celui de Titus, empereur de 79 à 81, puis en 1673, avec *Mithridate*, le roi du Pont, ennemi de Rome, qui avait la prudente habitude d'avaler de petites doses de poison pour se prémunir d'un empoisonnement, d'où le participe passé *mithridatisé* !

# Lire l'œuvre aujourd'hui

Nul doute que ce soit précisément pour les fondements mêmes du théâtre racinien que *Britannicus* puisse encore être lu par des jeunes gens au XXIe siècle : on trouve en effet dans cette tragédie tout à la fois une réflexion sur le pouvoir, sa cruauté et ses compromissions, la peinture d'amours contrastées et impossibles, on y lit surtout l'histoire d'une éducation politique et sentimentale.

## Quelle éducation politique et sentimentale ?

> *« Quoi ? vous à qui Néron doit le jour qu'il respire,*
> *Qui l'avez appelé de si loin à l'Empire ?*
> *Vous qui déshéritant le fils de Claudius,*
> *Avez nommé César l'heureux Domitius ? »*

(I, 1, v. 15 à 18).

C'est par ces questions naïves qu'est présenté par Albine, la confidente d'Agrippine, le conflit majeur qui traverse *Britannicus* : l'ingratitude d'un fils à qui sa mère a donné par des crimes le pouvoir absolu. Il est intéressant de s'interroger sur l'éducation qu'Agrippine, elle-même sœur de l'empereur Caligula, célèbre pour la folie de ses crimes, a donnée à son fils : peut-on dire que cette éducation d'un prince a été réussie ou manquée ? D'autant plus que, comme Anne d'Autriche pour son royal fils, Louis XIV, Agrippine a tenu, nous précisent les historiens romains, à entourer Néron des meilleurs précepteurs, le philosophe et écrivain stoïcien Sénèque, et Burrhus, un militaire expérimenté et de mœurs sévères, tous deux mettant leurs efforts en commun pour retenir leur élève sur la pente « où l'aurait fait glisser sa répugnance pour la morale » (Tacite, *Annales*, XIII, 2). Mais, parvenu au faîte du pouvoir, et toute opposition muselée par la terreur, Néron met en réalité en application les préceptes que sa mère lui a inculqués : instinct de survie dans un monde dangereux, aptitude au complot, hypocrisie et dissimulation, absence de tout sentiment autre que le goût de la puissance, la volonté de jouissance et l'orgueil, le tout lié à l'ingratitude d'un fils. Ces éléments présentés dans la pièce, dans des vers parfaitement martelés, sont bien de nature à provoquer chez le jeune lecteur des émotions contrastées et ce que le critique contemporain Thomas Pavel appelle la « perplexité morale ». En effet, assister à un spectacle dramatique ou lire une tragédie, ce n'est pas uniquement regarder et prendre connaissance. En tant que lecteurs ou spectateurs, « nous ne nous contentons guère d'*observer* les personnages [...], nous leur emboîtons le pas, nous faisons nôtres leurs soucis, nous nous enfonçons dans le labyrinthe de leur destin. Nous éprouvons à l'égard de ces personnages une solidarité qui nous rend déraisonnablement sensibles à leurs difficultés, à leurs choix, à leurs réussites et à leurs échecs. »

## Quelle réflexion sur le pouvoir ?

Dans *Britannicus*, la représentation d'un pouvoir tyrannique et de ses affres, les rapports entre la résistance quotidienne et intime à ce pouvoir ainsi que les risques de mort immédiate sont de nature à émouvoir et à faire réfléchir de jeunes lecteurs. Le thème du pouvoir mais aussi la mise en conflit de valeurs suscitent les prises de position des lecteurs contemporains, d'autant plus sans doute que ces réflexions s'incarnent dans un langage et un style poétiques à la fois complexes et précis. Il faut donc souligner l'actualité de la pièce de Racine dans le monde inquiétant du XXIᵉ siècle, même si le dramaturge prend soin de rappeler, dans la première préface, qu'il ne s'agit pas « des affaires du dehors », mais qu'au contraire « Néron est ici dans son particulier et dans sa famille ». Cependant, la thématique du chantage que le personnage exerce sur des êtres sans défense, Junie, Britannicus, est de nature à intéresser et faire réfléchir les lecteurs contemporains, ainsi que l'usage répété de la prise d'otages, dont la violence s'exprime aujourd'hui dans les articles de presse et dans les journaux télévisés. Certes, le rapt en pleine nuit de la jeune fille, « l'attentat que le jour vient de nous révéler », comme le nomme Agrippine, est d'abord un moyen pour Néron de se prémunir d'éventuelles menaces sur son pouvoir personnel. Ainsi le gouverneur Burrhus explique-t-il cet enlèvement :

> « Vous savez que les droits qu'elle porte avec elle
> Peuvent de son époux faire un prince rebelle [...] »

Mais la vision que Néron a de Junie, de sa beauté et de sa faiblesse, le détourne de son objectif premier et transforme le projet politique en désir amoureux.

## La pulsion du désir et le roman d'un amour impossible

> « [...] Triste, levant au ciel ses yeux mouillés de larmes,
> Qui brillaient au travers des flambeaux et des armes :
> Belle, sans ornements, dans le simple appareil
> D'une beauté qu'on vient d'arracher au sommeil. »
>
> (II, 2, v. 287 à 390).

C'est ainsi que Néron évoque, en un tableau clair-obscur, l'apparition de Junie enlevée sur son ordre. L'amour de Néron pour la princesse, qui aime et est aimée de Britannicus, est une donnée essentielle de la tragédie, car il exacerbe les rapports déjà conflictuels entre les deux personnages masculins et met en relief les penchants sadiques de l'empereur. Certes, on peut s'interroger sur la sincérité et sur la profondeur de cette soudaine passion, comme Agrippine elle-même qui, manifestement, doute d'un sentiment à peine né la nuit précédant l'ouverture de la tragédie :

> « Que veut-il ? Est-ce haine, est-ce amour qui l'inspire ?
> Cherche-t-il seulement le plaisir de leur nuire ?
> Ou plutôt n'est-ce point que sa malignité
> Punit sur eux l'appui que je leur ai prêté ? »
>
> (I, 1, v. 55 à 58).

Toutefois, la dimension du désir brutal de Néron anime l'ensemble de la pièce et lui donne une coloration brutale aux antipodes de toute mièvrerie sentimentale. Mais, précisément, en opposition totale aux violentes pulsions du désir, face à la tyrannie et à la cruauté, Racine inscrit au cœur de sa tragédie le roman d'un amour impossible, ou du moins rendu impossible par les enjeux de pouvoir qui le traversent et le contrarient. Les accents lyriques des dialogues amoureux entre Britannicus et Junie inventent, au milieu des dangers d'une cour impitoyable, un univers merveilleux d'amour et de paix, et recréent, comme le dit Junie, « un temps plus heureux » (v. 983) qui ne déparerait pas les pastorales et les romans précieux du début du XVIIᵉ siècle. Dans ce registre lyrique, Britannicus et Junie apparaissent comme de très jeunes gens, des adolescents généreux et naïfs livrés à l'injustice : leur sort ultime – la mort par empoisonnement pour l'un, une vie d'enfermement au couvent pour l'autre – signifie l'échec de l'amour romanesque et souligne l'idée que le bonheur et l'amour sont toujours à l'horizon. Cette écriture lyrique de l'amour impossible culminera dans la tragédie de Racine représentée l'année suivante, *Bérénice*.

Affiche de *Britannicus* représenté à la Comédie-Française
le 25 février 1918.

# Britannicus

## Racine

*Tragédie (1669)*

# Dédicace

À Monseigneur le Duc de Chevreuse[1].

MONSEIGNEUR,

Vous serez peut-être étonné de voir votre nom à la tête de cet ouvrage ; et si je vous avais demandé la permission de vous l'offrir, je doute si je l'aurais obtenue. Mais ce
5 serait être en quelque sorte ingrat que de cacher plus longtemps au monde les bontés dont vous m'avez toujours honoré. Quelle apparence qu'un homme qui ne travaille que pour la gloire se puisse taire d'une protection aussi glorieuse que la vôtre ? Non, MONSEIGNEUR, il m'est trop
10 avantageux que l'on sache que mes amis mêmes ne vous sont pas indifférents, que vous prenez part à tous mes ouvrages, et que vous m'avez procuré l'honneur de lire celui-ci devant un homme[2] dont toutes les heures sont précieuses. Vous fûtes témoin avec quelle pénétration
15 d'esprit il jugea de l'économie de la pièce, et combien l'idée qu'il s'est formée d'une excellente tragédie est au-delà de tout ce que j'en ai pu concevoir. Ne craignez pas, MONSEI-GNEUR, que je m'engage plus avant, et que n'osant le louer en face, je m'adresse à vous pour le louer avec plus de
20 liberté. Je sais qu'il serait dangereux de le fatiguer de ses louanges ; et j'ose dire que cette même modestie, qui vous est commune avec lui, n'est pas un des moindres liens qui vous attachent l'un à l'autre. La modération n'est qu'une vertu ordinaire quand elle ne se rencontre qu'avec des
25 qualités ordinaires. Mais qu'avec toutes les qualités et du cœur et de l'esprit, qu'avec un jugement qui, ce semble, ne devrait être le fruit que de l'expérience de plusieurs

---

1. **Le Duc de Chevreuse :** ce grand personnage a étudié avec Racine à Port-Royal. C'est le gendre de Colbert, le ministre de Louis XIV, dont il a épousé la fille en 1667.
2. **Un homme :** il s'agit de Colbert. C'est une manière habile et délicate de la part de Racine de mettre sa tragédie sous la protection de ce puissant personnage.

années, qu'avec mille belles connaissances que vous ne sauriez cacher à vos amis particuliers, vous ayez encore cette sage retenue que tout le monde admire en vous, c'est 30 sans doute une vertu rare en un siècle où l'on fait vanité des moindres choses. Mais je me laisse emporter insensiblement à la tentation de parler de vous. Il faut qu'elle soit bien violente, puisque je n'ai pu y résister dans une lettre où je n'avais autre dessein que de vous témoigner avec 35 combien de respect je suis,

MONSEIGNEUR,

Votre très humble et très obéissant serviteur,

Racine.

# Première préface[1]
# [1670]

DE TOUS les ouvrages que j'ai donnés au public, il n'y en a
point qui m'ait attiré plus d'applaudissements ni plus de
censeurs que celui-ci. Quelque soin que j'aie pris pour tra-
vailler cette tragédie, il semble qu'autant que je me suis
5  efforcé de la rendre bonne, autant de certaines gens se sont
efforcés de la décrier. Il n'y a point de cabale[2] qu'ils n'aient
faite, point de critique dont ils ne se soient avisés. Il y en a
qui ont pris même le parti de Néron contre moi. Ils ont dit
que je le faisais trop cruel. Pour moi, je croyais que le nom
10 seul de Néron faisait entendre quelque chose de plus que
cruel. Mais peut-être qu'ils raffinent sur son histoire, et
veulent dire qu'il était honnête homme dans ses premières
années. Il ne faut qu'avoir lu Tacite[3] pour savoir que s'il a
été quelque temps un bon empereur, il a toujours été un
15 très méchant homme. Il ne s'agit point dans ma tragédie
des affaires du dehors. Néron est ici dans son particulier et
dans sa famille. Et ils me dispenseront de leur rapporter tous
les passages qui pourraient bien aisément leur prouver que
je n'ai point de réparation à lui faire.
20     D'autres ont dit, au contraire, que je l'avais fait trop bon.
J'avoue que je ne m'étais pas formé l'idée d'un bon homme

---

1. Cette préface est parue lors de la première édition de *Britannicus* en
   1670 ; elle se présente comme une réponse aux critiques faites sur la
   pièce par les partisans de Corneille, d'où les attaques contre le vieux
   dramaturge qui y figurent et qui ne sont pas reprises dans les éditions
   ultérieures.
2. **Cabale :** groupe d'influence qui organise une critique et une opposition à une œuvre d'art, par exemple.
3. **Tacite :** historien latin (v. 55 – v. 120 apr. J.-C.) dont Racine s'est explicitement inspiré pour écrire *Britannicus*.

en la personne de Néron. Je l'ai toujours regardé comme un monstre. Mais c'est ici un monstre naissant. Il n'a pas encore mis le feu à Rome. Il n'a pas tué sa mère, sa femme, ses gouverneurs. À cela près, il me semble qu'il lui échappe ²⁵ assez de cruautés pour empêcher que personne ne le méconnaisse.

Quelques-uns ont pris l'intérêt de Narcisse, et se sont plaints que j'en eusse fait un très méchant homme et le confident de Néron. Il suffit d'un passage pour leur répondre. ³⁰ « Néron, dit Tacite, porta impatiemment la mort de Narcisse, parce que cet affranchi avait une conformité merveilleuse avec les vices du prince encore cachés : *Cujus abditis adhuc vitiis mire congruebat*[1]. »

Les autres se sont scandalisés que j'eusse choisi un ³⁵ homme aussi jeune que Britannicus pour le héros d'une tragédie. Je leur ai déclaré, dans la préface d'*Andromaque*, les sentiments d'Aristote sur le héros de la tragédie ; et que bien loin d'être parfait, il faut toujours qu'il ait quelque imperfection. Mais je leur dirai encore ici qu'un jeune prince de ⁴⁰ dix-sept ans, qui a beaucoup de cœur, beaucoup d'amour, beaucoup de franchise et beaucoup de crédulité, qualités ordinaires d'un jeune homme, m'a semblé très capable d'exciter la compassion. Je n'en veux pas davantage.

Mais, disent-ils, ce prince n'entrait que dans sa quinzième ⁴⁵ année lorsqu'il mourut. On le fait vivre, lui et Narcisse, deux ans plus qu'ils n'ont vécu. Je n'aurais point parlé de cette objection, si elle n'avait été faite avec chaleur par un homme qui s'est donné la liberté de faire régner vingt ans un Empereur qui n'en a régné que huit[2], quoique ce change- ⁵⁰ ment soit bien plus considérable dans la chronologie, où l'on suppute les temps par les années des empereurs.

---

1. ***Cujus... congruebat*** : « Car il s'adaptait admirablement à ses vices encore cachés » (Tacite, *Annales*, XIII, 1).
2. **Huit** : coup de pied à Corneille, qui, dans sa tragédie *Héraclius* (1647), fait régner l'empereur Phocas vingt ans, alors qu'il n'en a régné que huit.

Junie ne manque pas non plus de censeurs. Ils disent
que d'une vieille coquette, nommée Junia Silana, j'en ai fait
55 une jeune fille très sage. Qu'auraient-ils à me répondre si je
leur disais que cette Junie est un personnage inventé,
comme l'Émilie de *Cinna*, comme la Sabine d'*Horace*[1] ?
Mais j'ai à leur dire que s'ils avaient bien lu l'histoire, ils
auraient trouvé une Julia Calvina, de la famille d'Auguste,
60 sœur de Silanus, à qui Claudius avait promis Octavie. Cette
Junie était jeune, belle, et, comme dit Sénèque *festivissima
omnium puellarum*[2]. Elle aimait tendrement son frère ; *et
leurs ennemis*, dit Tacite, *les accusèrent tous deux d'inceste,
quoiqu'ils ne fussent coupables que d'un peu d'indiscrétion.*
65 Si je la représente plus retenue qu'elle n'était, je n'ai pas
ouï dire qu'il nous fût défendu de rectifier les mœurs d'un
personnage, surtout lorsqu'il n'est pas connu.

L'on trouve étrange qu'elle paraisse sur le théâtre après
la mort de Britannicus. Certainement la délicatesse est
70 grande de ne pas vouloir qu'elle dise en quatre vers assez
touchants qu'elle passe chez Octavie. Mais, disent-ils, cela
ne valait pas la peine de la faire revenir. Un autre l'aurait
pu raconter pour elle. Ils ne savent pas qu'une des règles
du théâtre est de ne mettre en récit que les choses qui ne
75 se peuvent passer en action ; et que tous les Anciens font
venir souvent sur la scène des acteurs qui n'ont autre
chose à dire, sinon qu'ils viennent d'un endroit, et qu'ils
s'en retournent en un autre.

Tout cela est inutile, disent mes censeurs. La pièce est
80 finie au récit de la mort de Britannicus, et l'on ne devrait
point écouter le reste. On l'écoute pourtant, et même avec
autant d'attention qu'aucune fin de tragédie. Pour moi, j'ai
toujours compris que la tragédie étant l'imitation d'une
action complète, où plusieurs personnes concourent, cette

---

1. **Cinna... Horace :** deux tragédies de Corneille ; Émilie et Sabine, des
   personnages féminins inventés par le dramaturge.
2. **Festivissima... puellarum :** « La plus séduisante de toutes les jeunes
   filles. »

action n'est point finie que l'on ne sache en quelle situation elle laisse ces mêmes personnes. C'est ainsi que Sophocle[1] en use presque partout. C'est ainsi que dans l'*Antigone* il emploie autant de vers à représenter la fureur d'Hémon et la punition de Créon après la mort de cette princesse, que j'en ai employé aux imprécations d'Agrippine, à la retraite de Junie, à la punition de Narcisse, et au désespoir de Néron, après la mort de Britannicus.

Que faudrait-il faire pour contenter des juges si difficiles ? La chose serait aisée, pour peu qu'on voulût trahir le bon sens. Il ne faudrait que s'écarter du naturel pour se jeter dans l'extraordinaire. Au lieu d'une action simple, chargée de peu de matière, telle que doit être une action qui se passe en un seul jour, et qui s'avançant par degrés vers sa fin, n'est soutenue que par les intérêts, les sentiments et les passions des personnages, il faudrait remplir cette même action de quantité d'incidents qui ne se pourraient passer qu'en un mois, d'un grand nombre de jeux de théâtre, d'autant plus surprenants qu'ils seraient moins vraisemblables, d'une infinité de déclamations où l'on ferait dire aux acteurs tout le contraire de ce qu'ils devraient dire. Il faudrait, par exemple, représenter quelque héros ivre, qui se voudrait faire haïr de sa maîtresse de gaieté de cœur, un Lacédémonien grand parleur, un conquérant qui ne débiterait que des maximes d'amour, une femme qui donnerait des leçons de fierté à des conquérants. Voilà sans doute de quoi faire récrier tous ces Messieurs. Mais que dirait cependant le petit nombre de gens sages auxquels je m'efforce de plaire ? De quel front oserais-je me montrer, pour ainsi dire, aux yeux de ces grands hommes de l'Antiquité que j'ai choisis pour modèles ? Car, pour me servir de la pensée d'un Ancien[2], voilà les véritables spectateurs que nous devons nous proposer ; et nous devons

---

1. **Sophocle :** tragique grec du $V^e$ siècle av. J.-C. C'est l'un des modèles de Racine.
2. **Ancien :** il s'agit probablement du philosophe grec Longin.

sans cesse nous demander : « Que diraient Homère et Virgile,
s'ils lisaient ces vers ? Que dirait Sophocle, s'il voyait
120 représenter cette scène ? » Quoi qu'il en soit, je n'ai point
prétendu empêcher qu'on ne parlât contre mes ouvrages.
Je l'aurais prétendu inutilement. *Quid de te alii loquantur
ipsi videant*, dit Cicéron, *sed loquentur tamen*[1].

Je prie seulement le lecteur de me pardonner cette
125 petite préface que j'ai faite pour lui rendre raison de ma
tragédie. Il n'y a rien de plus naturel que de se défendre
quand on se croit injustement attaqué. Je vois que
Térence[2] même semble n'avoir fait des prologues que
pour se justifier contre les critiques d'un vieux poète mal
130 intentionné, *malevoli veteris poetae*[3], et qui venait briguer
des voix contre lui jusqu'aux heures où l'on représentait
ses comédies.

> *Occepta est agi :*
> *Exclamat*[4], etc.

135 On me pouvait faire une difficulté qu'on ne m'a point
faite. Mais ce qui est échappé aux spectateurs pourra être
remarqué par les lecteurs. C'est que je fais entrer Junie
dans les Vestales[5], où, selon Aulu-Gelle[6], on ne recevait
personne au-dessous de six ans, ni au-dessus de dix. Mais
140 le peuple prend ici Junie sous sa protection, et j'ai cru
qu'en considération de sa naissance, de sa vertu et de son
malheur, il pouvait la dispenser de l'âge prescrit par les

---

1. *Quid... tamen* : « Que les autres voient ce qu'ils disent de toi, mais ils
en parleront forcément » (*La République*, VI, 16).
2. **Térence** : auteur latin de comédies du IIe siècle av. J.-C.
3. *Malevoli... poetae* : « d'un vieux poète envieux ». Il s'agit d'un dramaturge latin, concurrent de Térence, mais, dans le contexte du XVIIe siècle,
Racine fait clairement allusion à Corneille, qui avait trente-trois ans de
plus que lui.
4. *Occepta... exclamat* : « On commence ; il s'écrie » (Térence, prologue
de *L'Eunuque*).
5. **Vestales** : à Rome, prêtresses de Vesta, la déesse du feu : elles étaient
chargées d'entretenir le feu sacré dans un temple situé sur le Forum.
6. **Aulu-Gelle** : écrivain latin du IIe siècle.

lois, comme il a dispensé de l'âge pour le consulat tant de grands hommes qui avaient mérité ce privilège.

Enfin je suis très persuadé qu'on me peut faire bien d'autres critiques, sur lesquelles je n'aurais d'autre parti à prendre que celui d'en profiter à l'avenir. Mais je plains fort le malheur d'un homme qui travaille pour le public. Ceux qui voient le mieux nos défauts sont ceux qui les dissimulent le plus volontiers. Ils nous pardonnent les endroits qui leur ont déplu, en faveur de ceux qui leur ont donné du plaisir. Il n'y a rien, au contraire, de plus injuste qu'un ignorant. Il croit toujours que l'admiration est le partage des gens qui ne savent rien. Il condamne toute une pièce pour une scène qu'il n'approuve pas. Il s'attaque même aux endroits les plus éclatants, pour faire croire qu'il a de l'esprit ; et pour peu que nous résistions à ses sentiments, il nous traite de présomptueux qui ne veulent croire personne, et ne songe pas qu'il tire quelquefois plus de vanité d'une critique fort mauvaise, que nous n'en tirons d'une assez bonne pièce de théâtre.

*Homine imperito numquam quidquam injustius*[1].

---

1. **Homine... injustius :** « Il n'y a rien au contraire de plus injuste qu'un ignorant » (Térence, *Les Adelphes*, I, 2).

# Seconde préface
# [1676]

Voici celle de mes tragédies que je puis dire que j'ai le plus travaillée. Cependant j'avoue que le succès ne répondit pas d'abord à mes espérances. À peine elle parut sur le théâtre, qu'il s'éleva quantité de critiques qui semblaient
5 la vouloir détruire. Je crus moi-même que sa destinée serait à l'avenir moins heureuse que celle de mes autres tragédies. Mais enfin il est arrivé de cette pièce ce qui arrivera toujours des ouvrages qui auront quelque bonté. Les critiques se sont évanouies ; la pièce est demeurée. C'est
10 maintenant celle des miennes que la cour et le public revoient le plus volontiers ; et si j'ai fait quelque chose de solide et qui mérite quelque louange, la plupart des connaisseurs demeurent d'accord que c'est ce même *Britannicus*.

À la vérité j'avais travaillé sur des modèles qui m'avaient
15 extrêmement soutenu dans la peinture que je voulais faire de la cour d'Agrippine et de Néron. J'avais copié mes personnages d'après le plus grand peintre de l'Antiquité, je veux dire d'après Tacite. Et j'étais alors si rempli de la lecture de cet excellent historien, qu'il n'y a presque pas un trait
20 éclatant dans ma tragédie dont il ne m'ait donné l'idée. J'avais voulu mettre dans ce recueil un extrait des plus beaux endroits que j'ai tâché d'imiter ; mais j'ai trouvé que cet extrait tiendrait presque autant de place que la tragédie. Ainsi le lecteur trouvera bon que je le renvoie à
25 cet auteur, qui aussi bien est entre les mains de tout le monde ; et je me contenterai de rapporter ici quelques-uns de ses passages sur chacun des personnages que j'introduis sur la scène.

Pour commencer par Néron, il faut se souvenir qu'il est
30 ici dans les premières années de son règne, qui ont été heureuses, comme l'on sait. Ainsi il ne m'a pas été permis de le représenter aussi méchant qu'il a été depuis. Je ne le représente pas non plus comme un homme vertueux, car

il ne l'a jamais été. Il n'a pas encore tué sa mère, sa femme, ses gouverneurs ; mais il a en lui les semences de tous ces crimes. Il commence à vouloir secouer le joug. Il les hait les uns et les autres, et il leur cache sa haine sous de fausses caresses : *Factus natura velare odium fallacibus blanditiis*[1]. En un mot, c'est ici un monstre naissant, mais qui n'ose encore se déclarer, et qui cherche des couleurs à ses méchantes actions, *Hactenus Nero flagitiis et sceleribus velamenta quæsivit*[2]. Il ne pouvait souffrir Octavie, princesse d'une bonté et d'une vertu exemplaire : *Fato quodam, an quia prævalent illicita ; metuebaturque ne in stupra feminarum illustrium prorumperet*[3].

Je lui donne Narcisse pour confident. J'ai suivi en cela Tacite, qui dit que Néron porta impatiemment la mort de Narcisse, parce que cet affranchi avait une conformité merveilleuse avec les vices du prince encore cachés : *Cujus abditis adhuc vitiis mire congruebat*[4]. Ce passage prouve deux choses : il prouve et que Néron était déjà vicieux, mais qu'il dissimulait ses vices, et que Narcisse l'entretenait dans ses mauvaises inclinations.

J'ai choisi Burrhus pour opposer un honnête homme à cette peste de cour ; et je l'ai choisi plutôt que Sénèque. En voici la raison. Ils étaient tous deux gouverneurs de la jeunesse de Néron, l'un pour les armes, l'autre pour les lettres ; et ils étaient fameux, Burrhus « pour son expérience dans les armes et pour la sévérité de ses mœurs, *militaribus curis et severitate morum*[5] ; Sénèque pour son

---

1. **Factus... blanditiis :** « Naturellement porté à cacher sa haine sous des caresses trompeuses » (Tacite, *Annales*, XIV, 56).

2. **Hactenus... quæsivit :** « Jusqu'à ce moment, Néron chercha à voiler ses infamies et ses crimes » (*ibid.*, XIII, 47).

3. **Fato... prorumperet :** « Par une sorte de fatalité, ou parce que l'interdit attire davantage. On craignait qu'il ne précipitât dans le vice des femmes de bonne famille » (*ibid.*, XIII, 12).

4. Voir note 4, p. 27.

5. **Militaribus... morum :** traduction de Racine entre guillemets (Tacite, *Annales*, XIII, 2).

éloquence et le tour agréable de son esprit, *Seneca præ-ceptis eloquentiæ et comitate honesta*[1]. Burrhus, après sa mort, fut extrêmement regretté à cause de sa vertu : *Civitati grande desiderium ejus mansit per memoriam virtutis*[2].

65    Toute leur peine était de résister à l'orgueil et à la férocité d'Agrippine, *quæ cunctis malae dominationis cupidinibus flagrans, habebat in partibus Pallantem*[3]. Je ne dis que ce mot d'Agrippine, car il y aurait trop de choses à en dire. C'est elle que je me suis surtout efforcé de bien exprimer,
70    et ma tragédie n'est pas moins la disgrâce d'Agrippine que la mort de Britannicus. Cette mort fut un coup de foudre pour elle, et il parut, dit Tacite, par sa frayeur et par sa consternation, qu'elle était aussi innocente de cette mort qu'Octavie. Agrippine perdait en lui sa dernière espérance,
75    et ce crime lui en faisait craindre un plus grand : *Sibi supremum auxilium ereptum, et parricidii exemplum intelligebat*[4].

L'âge de Britannicus était si connu, qu'il ne m'a pas été permis de le représenter autrement que comme un jeune
80    prince qui avait beaucoup de cœur, beaucoup d'amour et beaucoup de franchise, qualités ordinaires d'un jeune homme. Il avait quinze ans, et on dit qu'il avait beaucoup d'esprit, soit qu'on dise vrai, ou que ses malheurs aient fait croire cela de lui, sans qu'il ait pu en donner des marques :
85    *Neque segnem ei fuisse indolem ferunt, sive verum, seu periculis commendatus retinuit famam sine experimento*[5].

Il ne faut pas s'étonner s'il n'a auprès de lui qu'un aussi méchant homme que Narcisse ; car il y avait longtemps

---

1. *Seneca... honesta :* ibid.
2. *Civitati... virtutis* : « Il fut grandement regretté par la cité en souvenir de sa vertu » (*Annales*, XIV, 51).
3. *Quæ... Pallantem* : « qui brûlant de tous les désirs d'une mauvaise domination avait à ses côtés Pallas » (*ibid.*, XIII, 2).
4. *Sibi... intelligebat* : « Elle comprenait que le dernier secours lui avait été ôté, et que c'était la répétition du parricide » (*ibid.*, XIII, 16).
5. *Neque... experimento* : traduction de Racine entre guillemets dans la phrase précédente (*ibid.*, XII, 26).

qu'on avait donné ordre qu'il n'y eût auprès de Britannicus que des gens qui n'eussent ni foi ni honneur : *Nam ut* 90 *proximus quisque Britannico neque fas neque fidem pensi haberet olim provisum erat*[1].

Il me reste à parler de Junie. Il ne la faut pas confondre avec une vieille coquette qui s'appelait Junia Silana. C'est ici une autre Junie, que Tacite appelle Junia Calvina, de la famille 95 d'Auguste, Sœur de Silanus à qui Claudius avait promis Octavie. Cette Junie était jeune, belle et, comme dit Sénèque, *festivissima omnium puellarum*[2]. Son frère et elle s'aimaient tendrement ; et leurs ennemis, dit Tacite, les accusèrent tous deux d'inceste, quoiqu'ils ne fussent 100 coupables que d'un peu d'indiscrétion. Elle vécut jusqu'au règne de Vespasien.

Je la fais entrer dans les Vestales, quoique, selon Aulu-Gelle, on n'y reçût jamais personne au-dessous de six ans, ni au-dessus de dix. Mais le peuple prend ici Junie sous sa 105 protection. Et j'ai cru qu'en considération de sa naissance, de sa vertu et de son malheur, il pouvait la dispenser de l'âge prescrit par les lois, comme il a dispensé de l'âge pour le consulat tant de grands hommes qui avaient mérité ce privilège. 110

---

1. ***Nam... erat*** : traduction de Racine entre guillemets dans la phrase précédente (*ibid.*, XIII, 15).
2. Voir note 7, p. 28.

# PERSONNAGES

NÉRON            *empereur, fils d'Agrippine.*

BRITANNICUS     *fils de l'empereur Claudius.*

AGRIPPINE       *veuve de Domitius Enobarbus, père de Néron,
                et, en secondes noces, veuve de l'empereur
                Claudius.*

JUNIE            *amante [1] de Britannicus.*

BURRHUS         *gouverneur [2] de Néron.*

NARCISSE        *gouverneur de Britannicus.*

ALBINE           *confidente d'Agrippine.*

GARDES.

La scène est à Rome, dans une chambre [3] du palais de
Néron.

---

1. **Amante :** dans le langage du XVII<sup>e</sup> siècle, qui aime et qui est aimée.
2. **Gouverneur :** précepteur, à la fois professeur et guide moral et politique. Ces personnages jouent dans la tragédie le rôle de confident.
3. **Chambre :** dans le sens de « pièce ».

# ACTE I
## Scène 1 AGRIPPINE, ALBINE

**ALBINE**

Quoi ! tandis que Néron s'abandonne au sommeil,
Faut-il que vous veniez attendre son réveil ?
Qu'errant dans le palais sans suite et sans escorte,
La mère de César[1] veille seule à sa porte ?
Madame, retournez dans votre appartement.            5

**AGRIPPINE**

Albine, il ne faut pas s'éloigner un moment.
Je veux l'attendre ici. Les chagrins qu'il me cause
M'occuperont assez tout le temps qu'il repose.
Tout ce que j'ai prédit n'est que trop assuré :
Contre Britannicus Néron s'est déclaré ;            10
L'impatient Néron cesse de se contraindre ;
Las de se faire aimer, il veut se faire craindre.
Britannicus le gêne, Albine ; et chaque jour
Je sens que je deviens importune à mon tour.

**ALBINE**

Quoi ? vous à qui Néron doit le jour qu'il respire,   15
Qui l'avez appelé de si loin à l'Empire ?
Vous qui déshéritant le fils de Claudius,
Avez nommé César l'heureux Domitius[2] ?
Tout lui parle, Madame, en faveur d'Agrippine :
Il vous doit son amour.                               20

---

1. **César :** depuis Jules César, titre donné aux empereurs romains. César
   au singulier dans la pièce désigne donc Néron, et au pluriel les
   empereurs.
2. **Domitius :** Agrippine, l'épouse de l'empereur Claudius (ou Claude),
   a fait adopter et désigner comme héritier de l'Empire son propre fils
   d'un premier mariage, Domitius, appelé désormais Néron, au détriment
   du fils légitime de Claude, Britannicus.

**AGRIPPINE**

Il me le doit, Albine :
Tout, s'il est généreux, lui prescrit cette loi ;
Mais tout, s'il est ingrat, lui parle contre moi.

**ALBINE**

S'il est ingrat, Madame ! Ah ! toute sa conduite
Marque dans son devoir une âme trop instruite.
25 Depuis trois ans entiers, qu'a-t-il dit, qu'a-t-il fait
Qui ne promette à Rome un empereur parfait ?
Rome, depuis deux ans, par ses soins gouvernée,
Au temps de ses consuls[1] croit être retournée :
Il la gouverne en père. Enfin Néron naissant
30 A toutes les vertus d'Auguste vieillissant.

**AGRIPPINE**

Non, non, mon intérêt ne me rend point injuste :
Il commence, il est vrai, par où finit Auguste ;
Mais crains que l'avenir détruisant le passé,
Il ne finisse ainsi qu'Auguste a commencé.
35 Il se déguise en vain : je lis sur son visage
Des fiers Domitius l'humeur triste et sauvage.
Il mêle avec l'orgueil qu'il a pris dans leur sang
La fierté des Nérons qu'il puisa dans mon flanc.
Toujours la tyrannie a d'heureuses prémices :
40 De Rome, pour un temps, Caïus[2] fut les délices ;
Mais sa feinte bonté se tournant en fureur,
Les délices de Rome en devinrent l'horreur.
Que m'importe, après tout, que Néron, plus fidèle,
D'une longue vertu laisse un jour le modèle ?
45 Ai-je mis dans sa main le timon de l'État

---

1. **Consuls :** magistrats qui assuraient le pouvoir politique au temps de la République romaine.
2. **Caïus :** il s'agit de l'empereur Caligula (37-41 apr. J.-C.), au demeurant frère d'Agrippine, dont le règne fut une succession de folies et d'horreurs.

Pour le conduire au gré du peuple et du sénat[1] ?
Ah ! que de la patrie il soit, s'il veut, le père ;
Mais qu'il songe un peu plus qu'Agrippine est sa mère.
De quel nom cependant pouvons-nous appeler
L'attentat que le jour vient de nous révéler ?                    50
Il sait, car leur amour ne peut être ignorée,
Que de Britannicus Junie est adorée ;
Et ce même Néron, que la vertu conduit,
Fait enlever Junie au milieu de la nuit.
Que veut-il ? Est-ce haine, est-ce amour qui l'inspire ?          55
Cherche-t-il seulement le plaisir de leur nuire ?
Ou plutôt n'est-ce point que sa malignité
Punit sur eux l'appui que je leur ai prêté ?

**ALBINE**

Vous leur appui, Madame ?

**AGRIPPINE**

          Arrête, chère Albine.
Je sais que j'ai moi seule avancé leur ruine ;                    60
Que du trône, où le sang l'a dû faire monter,
Britannicus par moi s'est vu précipiter.
Par moi seule éloigné de l'hymen d'Octavie[2],
Le frère de Junie abandonna la vie,
Silanus, sur qui Claude avait jeté les yeux,                      65
Et qui comptait Auguste au rang de ses aïeux.
Néron jouit de tout ; et moi, pour récompense,
Il faut qu'entre eux et lui je tienne la balance,
Afin que quelque jour, par une même loi,
Britannicus la tienne entre mon fils et moi.                      70

**ALBINE**

Quel dessein !

---

1. **Du peuple et du sénat :** les deux organes essentiels de l'État. Sous la forme du sigle SPQR, ils représentent la devise du pouvoir à Rome.
2. **Octavie :** Agrippine avait donné en mariage à son fils Octavie, la fille de Claude, donc la sœur de Britannicus. Silanus, à qui on l'avait auparavant promise en mariage, se suicida.

**AGRIPPINE**

Je m'assure un port dans la tempête.
Néron m'échappera, si ce frein ne l'arrête.

**ALBINE**

Mais prendre contre un fils tant de soins superflus ?

**AGRIPPINE**

Je le craindrais bientôt, s'il ne me craignait plus.

**ALBINE**

75 Une injuste frayeur vous alarme peut-être.
Mais si Néron pour vous n'est plus ce qu'il doit être,
Du moins son changement ne vient pas jusqu'à nous,
Et ce sont des secrets entre César et vous.
Quelques titres nouveaux que Rome lui défère,
80 Néron n'en reçoit point qu'il ne donne à sa mère.
Sa prodigue amitié ne se réserve rien.
Votre nom est dans Rome aussi saint que le sien.
À peine parle-t-on de la triste Octavie.
Auguste votre aïeul honora moins Livie[1].
85 Néron devant sa mère a permis le premier
Qu'on portât les faisceaux couronnés de laurier[2].
Quels effets voulez-vous de sa reconnaissance ?

**AGRIPPINE**

Un peu moins de respect, et plus de confiance.
Tous ces présents, Albine, irritent mon dépit :
90 Je vois mes honneurs croître, et tomber mon crédit.
Non, non, le temps n'est plus que Néron, jeune encore,
Me renvoyait les vœux d'une cour qui l'adore,
Lorsqu'il se reposait sur moi de tout l'État,
Que mon ordre au palais assemblait le sénat,
95 Et que derrière un voile, invisible et présente,

---

1. **Livie :** épouse de l'empereur Auguste, qu'il épousa en secondes noces après un double divorce.
2. **Faisceaux… laurier :** faisceaux de verges d'où émergeait le fer d'une hache qui étaient portés en signe d'honneur par des licteurs devant les premiers magistrats de Rome, et plus tard des empereurs.

J'étais de ce grand corps l'âme toute-puissante.
Des volontés de Rome alors mal assuré,
Néron de sa grandeur n'était point enivré.
Ce jour, ce triste jour frappe encor ma mémoire,
Où Néron fut lui-même ébloui de sa gloire,                        100
Quand les ambassadeurs de tant de rois divers
Vinrent le reconnaître au nom de l'univers.
Sur son trône avec lui j'allais prendre ma place.
J'ignore quel conseil prépara ma disgrâce :
Quoi qu'il en soit, Néron, d'aussi loin qu'il me vit,            105
Laissa sur son visage éclater son dépit.
Mon cœur même en conçut un malheureux augure[1].
L'ingrat, d'un faux respect colorant son injure,
Se leva par avance, et courant m'embrasser,
Il m'écarta du trône où je m'allais placer.                      110
Depuis ce coup fatal, le pouvoir d'Agrippine
Vers sa chute, à grands pas, chaque jour s'achemine.
L'ombre seule m'en reste, et l'on n'implore plus
Que le nom de Sénèque[2] et l'appui de Burrhus.

### ALBINE

Ah ! si de ce soupçon votre âme est prévenue                     115
Pourquoi nourrissez-vous le venin qui vous tue ?
Daignez avec César vous éclaircir du moins.

### AGRIPPINE

César ne me voit plus, Albine, sans témoins.
En public, à mon heure, on me donne audience.
Sa réponse est dictée, et même son silence.                      120
Je vois deux surveillants, ses maîtres et les miens,
Présider l'un ou l'autre à tous nos entretiens.
Mais je le poursuivrai d'autant plus qu'il m'évite.

---

1. **Augure :** présage.
2. **Sénèque :** philosophe stoïcien, précepteur de Néron, il se suicida en 65 apr. J.-C., à la suite d'une conspiration contre Néron. Auteur de nombreux ouvrages dont *De la providence*, *De la tranquillité de l'âme*, *De la brièveté de la vie* ou *Du bonheur*, ainsi que de tragédies dont s'est inspiré Racine.

De son désordre, Albine, il faut que je profite.
125 J'entends du bruit ; on ouvre. Allons subitement
Lui demander raison de cet enlèvement.
Surprenons, s'il se peut, les secrets de son âme.
Mais quoi ? déjà Burrhus sort de chez lui ?

## **Scène 2** AGRIPPINE, BURRHUS, ALBINE

### **BURRHUS**

Madame ?

Au nom de l'Empereur j'allais vous informer
130 D'un ordre[1] qui d'abord a pu vous alarmer,
Mais qui n'est que l'effet d'une sage conduite,
Dont César a voulu que vous soyez instruite.

### **AGRIPPINE**

Puisqu'il le veut, entrons : il m'en instruira mieux.

### **BURRHUS**

César pour quelque temps s'est soustrait à nos yeux.
135 Déjà par une porte au public moins connue,
L'un et l'autre consul vous avaient prévenue,
Madame. Mais souffrez que je retourne exprès...

### **AGRIPPINE**

Non, je ne trouble point ses augustes secrets.
Cependant voulez-vous qu'avec moins de contrainte
140 L'un et l'autre une fois nous nous parlions sans feinte ?

### **BURRHUS**

Burrhus pour le mensonge eut toujours trop d'horreur.

### **AGRIPPINE**

Prétendez-vous longtemps me cacher l'Empereur ?
Ne le verrai-je plus qu'à titre d'importune ?

---

1. **Ordre :** il s'agit de l'ordre d'enlever Junie.

Ai-je donc élevé si haut votre fortune
Pour mettre une barrière entre mon fils et moi ?          145
Ne l'osez-vous laisser un moment sur sa foi ?
Entre Sénèque et vous disputez-vous la gloire
À qui m'effacera plus tôt de sa mémoire ?
Vous l'ai-je confié pour en faire un ingrat ?
Pour être, sous son nom, les maîtres de l'État ?          150
Certes plus je médite, et moins je me figure
Que vous m'osiez compter pour votre créature,
Vous dont j'ai pu laisser vieillir l'ambition
Dans les honneurs obscurs de quelque légion,
Et moi qui sur le trône ai suivi mes ancêtres,          155
Moi, fille, femme, sœur, et mère de vos maîtres !
Que prétendez-vous donc ? Pensez-vous que ma voix
Ait fait un empereur pour m'en imposer trois ?
Néron n'est plus enfant : n'est-il pas temps qu'il règne ?
Jusqu'à quand voulez-vous que l'Empereur vous craigne ?   160
Ne saurait-il rien voir qu'il n'emprunte vos yeux ?
Pour se conduire, enfin, n'a-t-il pas ses aïeux ?
Qu'il choisisse, s'il veut, d'Auguste ou de Tibère[1] ;
Qu'il imite, s'il peut, Germanicus[2], mon père.
Parmi tant de héros je n'ose me placer ;                  165
Mais il est des vertus que je lui puis tracer.
Je puis l'instruire au moins combien sa confidence
Entre un sujet et lui doit laisser de distance.

#### BURRHUS

Je ne m'étais chargé dans cette occasion
Que d'excuser César d'une seule action.                   170
Mais puisque sans vouloir que je le justifie
Vous me rendez garant du reste de sa vie,
Je répondrai, Madame, avec la liberté

---

1. **Auguste, Tibère :** Auguste représente dans la conscience européenne le bon usage du pouvoir ; Tibère, son successeur, est l'exemple de l'empereur vicieux et perverti.
2. **Germanicus :** surnom donné, en raison de ses victoires militaires sur les Germains, à Drusus Néron, neveu et fils adoptif de Tibère.

D'un soldat qui sait mal farder la vérité.
175 Vous m'avez de César confié la jeunesse,
Je l'avoue, et je dois m'en souvenir sans cesse.
Mais vous avais-je fait serment de le trahir,
D'en faire un empereur qui ne sût qu'obéir ?
Non. Ce n'est plus à vous qu'il faut que j'en réponde.
180 Ce n'est plus votre fils, c'est le maître du monde.
J'en dois compte, Madame, à l'Empire romain,
Qui croit voir son salut ou sa perte en ma main.
Ah ! si dans l'ignorance il le fallait instruire,
N'avait-on que Sénèque et moi pour le séduire ?
185 Pourquoi de sa conduite éloigner les flatteurs ?
Fallait-il dans l'exil chercher des corrupteurs ?
La cour de Claudius, en esclaves fertile,
Pour deux que l'on cherchait, en eût présenté mille,
Qui tous auraient brigué l'honneur de l'avilir :
190 Dans une longue enfance ils l'auraient fait vieillir.
De quoi vous plaignez-vous, Madame ? On vous révère.
Ainsi que par César, on jure par sa mère.
L'Empereur, il est vrai, ne vient plus chaque jour
Mettre à vos pieds l'Empire, et grossir votre cour.
195 Mais le doit-il, Madame ? et sa reconnaissance
Ne peut-elle éclater que dans sa dépendance ?
Toujours humble, toujours le timide Néron,
N'ose-t-il être Auguste et César que de nom ?
Vous le dirai-je enfin ? Rome le justifie.
200 Rome, à trois affranchis si longtemps asservie[1],
À peine respirant du joug qu'elle a porté,
Du règne de Néron compte sa liberté.
Que dis-je ? la vertu semble même renaître.
Tout l'Empire n'est plus la dépouille d'un maître.
205 Le peuple au Champ de Mars[2] nomme ses magistrats ;

---

1. **Asservie :** l'empereur Claude avait confié le gouvernement de Rome
   à ses esclaves affranchis, Calliste, Pallas et Narcisse.
2. **Champ de Mars :** lieu situé au centre de la Rome antique qui symbolise le pouvoir politique et militaire.

César nomme les chefs sur la foi des soldats ;
Thraséas au sénat, Corbulon[1] dans l'armée,
Sont encore innocents, malgré leur renommée ;
Les déserts, autrefois peuplés de sénateurs,
Ne sont plus habités que par leurs délateurs.                    210
Qu'importe que César continue à nous croire,
Pourvu que nos conseils ne tendent qu'à sa gloire ;
Pourvu que dans le cours d'un règne florissant
Rome soit toujours libre, et César tout-puissant ?
Mais, Madame, Néron suffit pour se conduire.                     215
J'obéis, sans prétendre à l'honneur de l'instruire.
Sur ses aïeux sans doute il n'a qu'à se régler ;
Pour bien faire, Néron n'a qu'à se ressembler :
Heureux si ses vertus, l'une à l'autre enchaînées,
Ramènent tous les ans ses premières années !                     220

### AGRIPPINE

Ainsi, sur l'avenir n'osant vous assurer,
Vous croyez que sans vous Néron va s'égarer.
Mais vous qui jusqu'ici content de votre ouvrage
Venez de ses vertus nous rendre témoignage,
Expliquez-nous pourquoi, devenu ravisseur,                       225
Néron de Silanus fait enlever la sœur.
Ne tient-il qu'à marquer de cette ignominie
Le sang de mes aïeux qui brille dans Junie ?
De quoi l'accuse-t-il ? et par quel attentat
Devient-elle en un jour criminelle d'État :                      230
Elle qui sans orgueil jusqu'alors élevée,
N'aurait point vu Néron, s'il ne l'eût enlevée,
Et qui même aurait mis au rang de ses bienfaits
L'heureuse liberté de ne le voir jamais ?

### BURRHUS

Je sais que d'aucun crime elle n'est soupçonnée ;                235
Mais jusqu'ici César ne l'a point condamnée,

---

1. **Thraséas, Corbulon** : ces deux personnages, intègres et respectés,
ont été condamnés à mort par Néron.

Madame ; aucun objet ne blesse ici ses yeux :
Elle est dans un palais tout plein de ses aïeux.
Vous savez que les droits qu'elle porte avec elle
240 Peuvent de son époux faire un prince rebelle ;
Que le sang de César ne se doit allier
Qu'à ceux à qui César le veut bien confier ;
Et vous-même avoûrez qu'il ne serait pas juste
Qu'on disposât sans lui de la nièce[1] d'Auguste.

### AGRIPPINE

245 Je vous entends : Néron m'apprend par votre voix
Qu'en vain Britannicus s'assure sur mon choix.
En vain, pour détourner les yeux de sa misère,
J'ai flatté son amour d'un hymen qu'il espère :
À ma confusion, Néron veut faire voir
250 Qu'Agrippine promet par delà son pouvoir.
Rome de ma faveur est trop préoccupée :
Il veut par cet affront qu'elle soit détrompée,
Et que tout l'univers apprenne avec terreur
À ne confondre plus mon fils et l'Empereur.
255 Il le peut. Toutefois j'ose encore lui dire
Qu'il doit avant ce coup affermir son empire,
Et qu'en me réduisant à la nécessité
D'éprouver contre lui ma faible autorité,
Il expose la sienne, et que dans la balance
260 Mon nom peut-être aura plus de poids qu'il ne pense.

### BURRHUS

Quoi ? Madame. Toujours soupçonner son respect ?
Ne peut-il faire un pas qui ne vous soit suspect ?
L'Empereur vous croit-il du parti de Junie ?
Avec Britannicus vous croit-il réunie ?
265 Quoi ? de vos ennemis devenez-vous l'appui
Pour trouver un prétexte à vous plaindre de lui ?
Sur le moindre discours qu'on pourra vous redire,
Serez-vous toujours prête à partager l'Empire ?

---

1. **Nièce :** a ici le sens de parente, descendante d'Auguste.

Vous craindrez-vous sans cesse, et vos embrassements
Ne se passeront-ils qu'en éclaircissements ?                    270
Ah ! quittez d'un censeur la triste diligence ;
D'une mère facile affectez l'indulgence ;
Souffrez quelques froideurs sans les faire éclater,
Et n'avertissez point la cour de vous quitter.

### AGRIPPINE

Et qui s'honorerait de l'appui d'Agrippine                      275
Lorsque Néron lui-même annonce ma ruine ?
Lorsque de sa présence il semble me bannir ?
Quand Burrhus à sa porte ose me retenir ?

### BURRHUS

Madame, je vois bien qu'il est temps de me taire,
Et que ma liberté commence à vous déplaire.                     280
La douleur est injuste, et toutes les raisons
Qui ne la flattent point aigrissent ses soupçons.
Voici Britannicus. Je lui cède ma place.
Je vous laisse écouter et plaindre sa disgrâce,
Et peut-être, Madame, en accuser les soins                      285
De ceux que l'Empereur a consultés le moins.

# Clefs d'analyse

Acte I, scènes 1 et 2.

## Compréhension

### L'exposition

- Relever les informations sur l'action en cours (rappels historiques, conflits à venir (I, 1 et 2).
- Observer la présentation du personnage de Néron : indirectement par Agrippine (I, 1) ; puis dans les propos de Burrhus (I, 2).
- Observer la présentation du personnage d'Agrippine : par elle-même à sa confidente (I, 1), par le dialogue avec Burrhus (I, 2).

## Réflexion

### Le conflit tragique

- Analyser les nombreuses oppositions dans le discours d'Agrippine (I, 1 et 2).
- Analyser et discuter le rapport mère/fils qui unit Agrippine et Néron (I, 1 et 2).

### La présentation de Néron entre éloge et blâme

- Expliquer le rôle d'Albine face à Agrippine (I, 1).
- Analyser les véritables motivations d'Agrippine (I, 2).

### La versification

- Montrer l'utilisation que fait Racine de l'alexandrin pour représenter les affrontements qui se préparent.

### À retenir :
*Une exposition de théâtre présente l'action, le lieu, le moment et les personnages au public. Ces deux scènes répondent aux exigences de la tragédie, et l'exposition de Britannicus se présente comme un modèle du genre.*

# Scène 3 AGRIPPINE, BRITANNICUS, NARCISSE, ALBINE

### AGRIPPINE

Ah, Prince ! où courez-vous ? Quelle ardeur inquiète
Parmi vos ennemis en aveugle vous jette ?
Que venez-vous chercher ?

### BRITANNICUS

              Ce que je cherche ? Ah, Dieux !
Tout ce que j'ai perdu, Madame, est en ces lieux.          290
De mille affreux soldats Junie environnée
S'est vue en ce palais indignement traînée.
Hélas ! de quelle horreur ses timides[1] esprits
À ce nouveau spectacle auront été surpris !
Enfin on me l'enlève. Une loi trop sévère          295
Va séparer deux cœurs qu'assemblait leur misère.
Sans doute on ne veut pas que mêlant nos douleurs
Nous nous aidions l'un l'autre à porter nos malheurs.

### AGRIPPINE

Il suffit. Comme vous je ressens vos injures :
Mes plaintes ont déjà précédé vos murmures ;          300
Mais je ne prétends pas qu'un impuissant courroux
Dégage ma parole et m'acquitte envers vous.
Je ne m'explique point. Si vous voulez m'entendre,
Suivez-moi chez Pallas[2], où je vais vous attendre.

---

1. **Timides :** sens étymologique, du latin *timor*, qui signifie « peur ».
2. **Pallas :** affranchi de Claude qui favorisa les menées d'Agrippine et l'aida à empoisonner l'empereur. Lui-même mourut empoisonné sur ordre de Néron.

# Scène 4 <small>Britannicus, Narcisse</small>

### BRITANNICUS

305 La croirai-je, Narcisse ? et dois-je sur sa foi
La prendre pour arbitre entre son fils et moi ?
Qu'en dis-tu ? N'est-ce pas cette même Agrippine
Que mon père épousa jadis pour sa ruine,
Et qui, si je t'en crois, a de ses derniers jours,
310 Trop lents pour ses desseins, précipité le cours ?

### NARCISSE

N'importe. Elle se sent comme vous outragée ;
À vous donner Junie elle s'est engagée :
Unissez vos chagrins ; liez vos intérêts.
Ce palais retentit en vain de vos regrets :
315 Tandis qu'on vous verra d'une voix suppliante
Semer ici la plainte et non pas l'épouvante,
Que vos ressentiments se perdront en discours,
Il n'en faut point douter, vous vous plaindrez toujours.

### BRITANNICUS

Ah ! Narcisse, tu sais si de la servitude
320 Je prétends faire encore une longue habitude ;
Tu sais si pour jamais, de ma chute étonné,
Je renonce à l'Empire, où j'étais destiné.
Mais je suis seul encor. Les amis de mon père
Sont autant d'inconnus que glace ma misère.
325 Et ma jeunesse même écarte loin de moi
Tous ceux qui dans le cœur me réservent leur foi.
Pour moi, depuis un an qu'un peu d'expérience
M'a donné de mon sort la triste connaissance,
Que vois-je autour de moi, que des amis vendus
330 Qui sont de tous mes pas les témoins assidus,
Qui choisis par Néron pour ce commerce infâme,
Trafiquent avec lui des secrets de mon âme ?
Quoi qu'il en soit, Narcisse, on me vend tous les jours :
Il prévoit mes desseins, il entend mes discours ;

Comme toi, dans mon cœur il sait ce qui se passe.                     335
Que t'en semble, Narcisse ?

**NARCISSE**

Ah ! quelle âme assez basse…
C'est à vous de choisir des confidents discrets,
Seigneur, et de ne pas prodiguer vos secrets.

**BRITANNICUS**

Narcisse, tu dis vrai. Mais cette défiance
Est toujours d'un grand cœur la dernière science :                    340
On le trompe longtemps. Mais enfin je te croi,
Ou plutôt je fais vœu de ne croire que toi.
Mon père, il m'en souvient, m'assura de ton zèle.
Seul de ses affranchis tu m'es toujours fidèle ;
Tes yeux, sur ma conduite incessamment ouverts                       345
M'ont sauvé jusqu'ici de mille écueils couverts
Va donc voir si le bruit de ce nouvel orage
Aura de nos amis excité le courage.
Examine leurs yeux, observe leurs discours ;
Vois si j'en puis attendre un fidèle secours.                        350
Surtout dans ce palais remarque avec adresse
Avec quel soin Néron fait garder la Princesse.
Sache si du péril ses beaux yeux sont remis,
Et si son entretien m'est encore permis.
Cependant de Néron je vais trouver la mère                           355
Chez Pallas, comme toi l'affranchi de mon père.
Je vais la voir, l'aigrir, la suivre, et, s'il se peut,
M'engager sous son nom plus loin qu'elle ne veut.

# Synthèse Acte I

## Une exposition progressive

### Personnages

#### L'entrée en scène du personnel tragique

L'acte I introduit progressivement, mais incomplètement, le personnel tragique tel qu'il a été présenté dans la didascalie initiale. Comme souvent, chez Racine, le système des personnages fonctionne par couple et par opposition : l'affrontement larvé entre Agrippine et Néron, bientôt exacerbé par le chantage qu'Agrippine pense exercer sur Néron grâce à Britannicus ; Burrhus et Narcisse, les gouverneurs des princes, à des degrés divers, courtisans sans courage ou sans réelle envergure ; enfin, physiquement absents de ce premier acte, mais présents de manière obsessionnelle dans les propos des personnages, le bourreau Néron et la victime Junie, dont le spectateur attend impatiemment l'arrivée.

### Langage

#### La souplesse de l'alexandrin

L'alexandrin, vers de douze syllabes, ainsi appelé car il figure pour la première fois, au XIIᵉ siècle, dans un ouvrage intitulé *Le Roman d'Alexandre*, est le vers par excellence de la tragédie classique ; il représente ce qui, dans la littérature classique, se rapproche le plus de la prose. Dans l'acte I de *Britannicus*, il sert aussi bien à exprimer, par un balancement rythmique et une opposition sémantique, l'inquiétude avisée d'Agrippine : « [...] Tout, s'il est généreux, lui prescrit cette loi ; / Mais tout, s'il est ingrat, lui parle contre moi » (I, 1, v. 22-23) que la rhétorique politique de Burrhus : « Ce n'est plus votre fils, c'est le maître du monde » (I, 2, v. 180), ou l'émotion amoureuse du jeune Britannicus : « Hélas ! de quelle horreur ses timides esprits / À ce nouveau spectacle auront été surpris ! » (I, 3, v. 293-294).

# Synthèse Acte I

Les nombreuses diérèses, outre leur fonction technique, mettent l'accent sur des termes importants du texte : *ru-i-ne* et *con-fi-an-ce*, par exemple, mis en valeur à la rime à plusieurs reprises.

## Société

### L'unité de lieu comme métaphore de l'enfermement de la cour

Pour Racine, la règle de l'unité de lieu, qui a été élaborée tardivement par les théoriciens du théâtre et que supportaient mal, par exemple, les tragédies à grand spectacle de Corneille, représente dans *Britannicus* l'occasion de décrire un espace étouffant où règnent la contrainte et l'hypocrisie, certes présent à la cour de Néron à Rome, mais un espace qui devait évoquer aussi la société en cours de constitution de la cour de Louis XIV, avec ses ministres et ses favorites, ses postes honorifiques et ses disgrâces, le tout placé sous l'œil acéré du roi. Cela implique quelques invraisemblances que relève le critique Jacques Scherer : ainsi, *Britannicus* met en scène « des groupes de personnages qui conspirent les uns contre les autres dans un même lieu ».

# ACTE II

## Scène 1 NÉRON, BURRHUS, NARCISSE, GARDES

### NÉRON

N'en doutez point, Burrhus : malgré ses injustices,
360 C'est ma mère, et je veux ignorer ses caprices.
Mais je ne prétends plus ignorer ni souffrir
Le ministre insolent qui les ose nourrir.
Pallas de ses conseils empoisonne ma mère ;
Il séduit chaque jour Britannicus mon frère.
365 Ils l'écoutent tout seul ; et qui suivrait leurs pas,
Les trouverait peut-être assemblés chez Pallas.
C'en est trop. De tous deux il faut que je l'écarte.
Pour la dernière fois, qu'il s'éloigne, qu'il parte :
Je le veux, je l'ordonne ; et que la fin du jour
370 Ne le retrouve pas dans Rome ou dans ma cour.
Allez : cet ordre importe au salut de l'Empire.
Vous, Narcisse, approchez. Et vous, qu'on se retire.

## Scène 2 NÉRON, NARCISSE

### NARCISSE

Grâces aux Dieux, Seigneur, Junie entre vos mains
Vous assure aujourd'hui du reste des Romains.
375 Vos ennemis, déchus de leur vaine espérance,
Sont allés chez Pallas pleurer leur impuissance.
Mais que vois-je ? Vous-même, inquiet, étonné,
Plus que Britannicus paraissez consterné.
Que présage à mes yeux cette tristesse obscure
380 Et ces sombres regards errants à l'aventure ?
Tout vous rit : la fortune obéit à vos vœux.

### NÉRON

Narcisse, c'en est fait, Néron est amoureux.

**NARCISSE**

Vous ?

**NÉRON**

Depuis un moment, mais pour toute ma vie
J'aime (que dis-je aimer ?), j'idolâtre Junie.

**NARCISSE**

Vous l'aimez ? 385

**NÉRON**

Excité d'un désir curieux,
Cette nuit je l'ai vue arriver en ces lieux,
Triste, levant au ciel ses yeux mouillés de larmes,
Qui brillaient au travers des flambeaux et des armes :
Belle, sans ornements, dans le simple appareil[1]
D'une beauté qu'on vient d'arracher au sommeil. 390
Que veux-tu ? Je ne sais si cette négligence,
Les ombres, les flambeaux, les cris et le silence,
Et le farouche aspect de ses fiers ravisseurs
Relevaient de ses yeux les timides douceurs.
Quoi qu'il en soit, ravi d'une si belle vue, 395
J'ai voulu lui parler, et ma voix s'est perdue :
Immobile, saisi d'un long étonnement,
Je l'ai laissé passer dans son appartement.
J'ai passé dans le mien. C'est là que solitaire,
De son image en vain j'ai voulu me distraire : 400
Trop présente à mes yeux, je croyais lui parler ;
J'aimais jusqu'à ses pleurs que je faisais couler.
Quelquefois, mais trop tard, je lui demandais grâce ;
J'employais les soupirs, et même la menace.
Voilà comme, occupé de mon nouvel amour, 405
Mes yeux, sans se fermer, ont attendu le jour.
Mais je m'en fais peut-être une trop belle image ;
Elle m'est apparue avec trop d'avantage :
Narcisse, qu'en dis-tu ?

---

1. **Appareil :** vêtement, toilette. L'expression « dans le simple appareil »
est devenue célèbre, mais dans un sens inexact.

### NARCISSE

Quoi ? Seigneur, croira-t-on
410 Qu'elle ait pu si longtemps se cacher à Néron ?

### NÉRON

Tu le sais bien, Narcisse. Et soit que sa colère
M'imputât le malheur qui lui ravit son frère ;
Soit que son cœur, jaloux d'une austère fierté,
Enviât à nos yeux sa naissante beauté ;
415 Fidèle à sa douleur, et dans l'ombre enfermée,
Elle se dérobait même à sa renommée.
Et c'est cette vertu, si nouvelle à la cour,
Dont la persévérance irrite mon amour.
Quoi, Narcisse ? Tandis qu'il n'est point de Romaine
420 Que mon amour n'honore et ne rende plus vaine,
Qui dès qu'à ses regards elle ose se fier,
Sur le cœur de César ne les vienne essayer :
Seule dans son palais la modeste Junie
Regarde leurs honneurs comme une ignominie,
425 Fuit, et ne daigne pas peut-être s'informer
Si César est aimable, ou bien s'il sait aimer ?
Dis-moi : Britannicus l'aime-t-il ?

### NARCISSE

Quoi ! s'il l'aime,
Seigneur ?

### NÉRON

Si jeune encor, se connaît-il lui-même ?
D'un regard enchanteur connaît-il le poison ?

### NARCISSE

430 Seigneur, l'amour toujours n'attend pas la raison.
N'en doutez point, il l'aime. Instruits par tant de charmes,
Ses yeux sont déjà faits à l'usage des larmes.
À ses moindres désirs il sait s'accommoder ;
Et peut-être déjà sait-il persuader.

### NÉRON

435 Que dis-tu ? Sur son cœur il aurait quelque empire ?

**NARCISSE**

Je ne sais ; mais, Seigneur, ce que je puis vous dire,
Je l'ai vu quelquefois s'arracher de ces lieux,
Le cœur plein d'un courroux qu'il cachait à vos yeux.
D'une cour qui le fuit pleurant l'ingratitude,
Las de votre grandeur et de sa servitude,                    440
Entre l'impatience et la crainte flottant :
Il allait voir Junie, et revenait content.

**NÉRON**

D'autant plus malheureux qu'il aura su lui plaire,
Narcisse, il doit plutôt souhaiter sa colère.
Néron impunément ne sera pas jaloux.                         445

**NARCISSE**

Vous ? Et de quoi, Seigneur, vous inquiétez-vous ?
Junie a pu le plaindre et partager ses peines :
Elle n'a vu couler de larmes que les siennes.
Mais, aujourd'hui, Seigneur, que ses yeux dessillés[1],
Regardant de plus près l'éclat dont vous brillez,           450
Verront autour de vous les rois sans diadème,
Inconnus dans la foule, et son amant lui-même,
Attachés sur vos yeux s'honorer d'un regard
Que vous aurez sur eux fait tomber au hasard ;
Quand elle vous verra, de ce degré de gloire,               455
Venir en soupirant avouer sa victoire :
Maître, n'en doutez point, d'un cœur déjà charmé,
Commandez qu'on vous aime, et vous serez aimé.

**NÉRON**

À combien de chagrins il faut que je m'apprête !
Que d'importunités !                                         460

**NARCISSE**

                    Quoi donc ? qui vous arrête,
Seigneur ?

---

1. **Dessillés :** qui viennent de s'ouvrir.

### NÉRON

Tout : Octavie, Agrippine, Burrhus,
Sénèque, Rome entière, et trois ans de vertu.
Non que pour Octavie un reste de tendresse
M'attache à son hymen et plaigne sa jeunesse.
465 Mes yeux, depuis longtemps fatigués de ses soins,
Rarement de ses pleurs daignent être témoins :
Trop heureux si bientôt la faveur d'un divorce
Me soulageait d'un joug qu'on m'imposa par force !
Le ciel même en secret semble la condamner :
470 Ses vœux, depuis quatre ans, ont beau l'importuner,
Les Dieux ne montrent point que sa vertu les touche :
D'aucun gage, Narcisse, ils n'honorent sa couche [1] ;
L'Empire vainement demande un héritier.

### NARCISSE

Que tardez-vous, Seigneur, à la répudier ?
475 L'Empire, votre cœur, tout condamne Octavie.
Auguste, votre aïeul, soupirait pour Livie :
Par un double divorce ils s'unirent tous deux [2] ;
Et vous devez l'Empire à ce divorce heureux.
Tibère, que l'hymen plaça dans sa famille,
480 Osa bien à ses yeux répudier sa fille.
Vous seul, jusques ici contraire à vos désirs,
N'osez par un divorce assurer vos plaisirs.

### NÉRON

Et ne connais-tu pas l'implacable Agrippine ?
Mon amour inquiet déjà se l'imagine
485 Qui m'amène Octavie, et d'un œil enflammé
Atteste les saints droits d'un nœud qu'elle a formé,

---

1. **Couche :** dans une société patriarcale comme la société romaine, la stérilité des femmes était considérée comme une malédiction. Historiquement, c'est la raison qui fut invoquée par Néron pour répudier Octavie.

2. **Par un double... deux :** l'empereur Auguste, marié à Scribonia, dont il avait une fille, Julia, la répudia pour épouser Livie, la femme de Tiberius Claudius Néron, dont elle avait un fils, Tibère, qui fut adopté par Auguste et devint empereur.

Et portant à mon cœur des atteintes plus rudes,
Me fait un long récit de mes ingratitudes[1].
De quel front soutenir ce fâcheux entretien ?

### NARCISSE

N'êtes-vous pas, Seigneur, votre maître et le sien ?      490
Vous verrons-nous toujours trembler sous sa tutelle ?
Vivez, régnez pour vous : c'est trop régner pour elle.
Craignez-vous ? Mais, Seigneur, vous ne la craignez pas :
Vous venez de bannir le superbe Pallas,
Pallas dont vous savez qu'elle soutient l'audace.      495

### NÉRON

Éloigné de ses yeux, j'ordonne, je menace,
J'écoute vos conseils, j'ose les approuver ;
Je m'excite contre elle, et tâche à la braver.
Mais (je t'expose ici mon âme toute nue)
Sitôt que mon malheur me ramène à sa vue,      500
Soit que je n'ose encor démentir le pouvoir
De ces yeux où j'ai lu si longtemps mon devoir ;
Soit qu'à tant de bienfaits ma mémoire fidèle
Lui soumette en secret tout ce que je tiens d'elle,
Mais enfin mes efforts ne me servent de rien ;      505
Mon Génie[2] étonné tremble devant le sien.
Et c'est pour m'affranchir de cette dépendance,
Que je la fuis partout, que même je l'offense,
Et que de temps en temps j'irrite ses ennuis
Afin qu'elle m'évite autant que je la fuis.      510
Mais je t'arrête trop. Retire-toi, Narcisse :
Britannicus pourrait t'accuser d'artifice[3].

### NARCISSE

Non, non, Britannicus s'abandonne à ma foi.

---

1. **Récit de mes ingratitudes :** on voit un exemple des récriminations habituelles d'Agrippine sur l'ingratitude de Néron à la scène 2 de l'acte IV.
2. **Génie :** ici, dans le sens étymologique de « dieu particulier à chaque homme, qui partage avec lui sa destinée ».
3. **Artifice :** tromperie, ruse, perfidie.

Par son ordre, Seigneur, il croit que je vous voi,
515 Que je m'informe ici de tout ce qui le touche,
Et veut de vos secrets être instruit par ma bouche.
Impatient surtout de revoir ses amours,
Il attend de mes soins ce fidèle secours.

### NÉRON

J'y consens, porte-lui cette douce nouvelle :
520 Il la verra.

### NARCISSE

Seigneur, bannissez-le loin d'elle.

### NÉRON

J'ai mes raisons, Narcisse ; et tu peux concevoir
Que je lui vendrai cher le plaisir de la voir.
Cependant vante-lui ton heureux stratagème :
Dis-lui qu'en sa faveur on me trompe moi-même,
525 Qu'il la voit sans mon ordre. On ouvre : la voici.
Va retrouver ton maître, et l'amener ici.

# Scène 3 NÉRON, JUNIE

### NÉRON

Vous vous troublez, Madame, et changez de visage.
Lisez-vous dans mes yeux quelque triste présage ?

### JUNIE

Seigneur, je ne vous puis déguiser mon erreur :
530 J'allais voir Octavie, et non pas l'Empereur.

### NÉRON

Je le sais bien, Madame, et n'ai pu sans envie
Apprendre vos bontés pour l'heureuse Octavie.

### JUNIE

Vous, Seigneur ?

### NÉRON

Pensez-vous, Madame, qu'en ces lieux
Seule pour vous connaître Octavie ait des yeux ?

### JUNIE

Et quel autre, Seigneur, voulez-vous que j'implore ?          535
À qui demanderai-je un crime que j'ignore ?
Vous qui le punissez, vous ne l'ignorez pas.
De grâce, apprenez-moi, Seigneur, mes attentats.

### NÉRON

Quoi, Madame ! Est-ce donc une légère offense
De m'avoir si longtemps caché votre présence ?          540
Ces trésors dont le ciel voulut vous embellir,
Les avez-vous reçus pour les ensevelir ?
L'heureux Britannicus verra-t-il sans alarmes
Croître, loin de nos yeux, son amour et vos charmes ?
Pourquoi, de cette gloire exclus jusqu'à ce jour,          545
M'avez-vous, sans pitié, relégué dans ma cour ?
On dit plus : vous souffrez sans en être offensée
Qu'il vous ose, Madame, expliquer sa pensée.
Car je ne croirai point que sans me consulter
La sévère Junie ait voulu le flatter,          550
Ni qu'elle ait consenti d'aimer et d'être aimée,
Sans que j'en sois instruit que par la renommée.

### JUNIE

Je ne vous nîrai point, Seigneur, que ses soupirs
M'ont daigné quelquefois expliquer ses désirs.
Il n'a point détourné ses regards d'une fille          555
Seul reste du débris d'une illustre famille.
Peut-être il se souvient qu'en un temps plus heureux
Son père me nomma pour l'objet de ses vœux.
Il m'aime ; il obéit à l'Empereur son père,
Et j'ose dire encore à vous, à votre mère.          560
Vos désirs sont toujours si conformes aux siens…

### NÉRON

Ma mère a ses desseins, Madame, et j'ai les miens.
Ne parlons plus ici de Claude et d'Agrippine :
Ce n'est point par leur choix que je me détermine.
C'est à moi seul, Madame, à répondre de vous ;          565
Et je veux de ma main vous choisir un époux.

**JUNIE**

Ah ! Seigneur, songez-vous que toute autre alliance
Fera honte aux Césars auteurs de ma naissance ?

**NÉRON**

Non, Madame, l'époux dont je vous entretiens
570 Peut sans honte assembler vos aïeux et les siens :
Vous pouvez, sans rougir, consentir à sa flamme.

**JUNIE**

Et quel est donc, Seigneur, cet époux ?

**NÉRON**

Moi, Madame.

**JUNIE**

Vous ?

**NÉRON**

Je vous nommerais, Madame, un autre nom,

Si j'en savais quelque autre au-dessus de Néron.
575 Oui, pour vous faire un choix où vous puissiez souscrire,
J'ai parcouru des yeux la cour, Rome et l'Empire.
Plus j'ai cherché, Madame, et plus je cherche encor
En quelles mains je dois confier ce trésor,
Plus je vois que César, digne seul de vous plaire,
580 En doit être lui seul l'heureux dépositaire,
Et ne peut dignement vous confier qu'aux mains
À qui Rome a commis l'empire des humains.
Vous-même, consultez vos premières années.
Claudius à son fils les avait destinées ;
585 Mais c'était en un temps où de l'Empire entier
Il croyait quelque jour le nommer l'héritier.
Les Dieux ont prononcé. Loin de leur contredire,
C'est à vous de passer du côté de l'Empire.
En vain de ce présent ils m'auraient honoré,
590 Si votre cœur devait en être séparé ;
Si tant de soins ne sont adoucis par vos charmes ;
Si tandis que je donne aux veilles, aux alarmes
Des jours toujours à plaindre et toujours enviés,
Je ne vais quelquefois respirer à vos pieds.
595 Qu'Octavie à vos yeux ne fasse point d'ombrage :

Rome, aussi bien que moi, vous donne son suffrage [1],
Répudie Octavie, et me fait dénouer
Un hymen que le ciel ne veut point avouer.
Songez-y donc, Madame, et pesez en vous-même
Ce choix digne des soins d'un prince qui vous aime,               600
Digne de vos beaux yeux trop longtemps captivés,
Digne de l'univers à qui vous vous devez.

### JUNIE

Seigneur, avec raison je demeure étonnée [2].
Je me vois, dans le cours d'une même journée,
Comme une criminelle amenée en ces lieux ;                       605
Et lorsque avec frayeur je parais à vos yeux,
Que sur mon innocence à peine je me fie,
Vous m'offrez tout d'un coup la place d'Octavie.
J'ose dire pourtant que je n'ai mérité
Ni cet excès d'honneur, ni cette indignité.                       610
Et pouvez-vous, Seigneur, souhaiter qu'une fille
Qui vit presque en naissant éteindre sa famille,
Qui dans l'obscurité nourrissant sa douleur,
S'est fait une vertu conforme à son malheur,
Passe subitement de cette nuit profonde                           615
Dans un rang qui l'expose aux yeux de tout le monde,
Dont je n'ai pu de loin soutenir la clarté,
Et dont une autre enfin remplit la majesté ?

### NÉRON

Je vous ai déjà dit que je la répudie.
Ayez moins de frayeur, ou moins de modestie.                      620
N'accusez point ici mon choix d'aveuglement ;
Je vous réponds de vous : consentez seulement.
Du sang dont vous sortez rappelez la mémoire ;
Et ne préférez point à la solide gloire
Des honneurs dont César prétend vous revêtir,                     625
La gloire d'un refus, sujet au repentir.

---

1. **Suffrage :** accord.
2. **Étonnée :** au sens étymologique de « frappée par le tonnerre », « stupéfaite ».

JUNIE

Le ciel connaît, Seigneur, le fond de ma pensée.
Je ne me flatte point d'une gloire insensée :
Je sais de vos présents mesurer la grandeur ;
630 Mais plus ce rang sur moi répandrait de splendeur,
Plus il me ferait honte, et mettrait en lumière
Le crime d'en avoir dépouillé l'héritière.

NÉRON

C'est de ses intérêts prendre beaucoup de soin,
Madame ; et l'amitié ne peut aller plus loin.
635 Mais ne nous flattons point, et laissons le mystère.
La sœur vous touche ici beaucoup moins que le frère ;
Et pour Britannicus...

JUNIE

Il a su me toucher,
Seigneur ; et je n'ai point prétendu m'en cacher.
Cette sincérité sans doute est peu discrète ;
640 Mais toujours de mon cœur ma bouche est l'interprète.
Absente de la cour, je n'ai pas dû penser,
Seigneur, qu'en l'art de feindre il fallût m'exercer.
J'aime Britannicus. Je lui fus destinée
Quand l'Empire devait suivre son hyménée.
645 Mais ces mêmes malheurs qui l'en ont écarté,
Ses honneurs abolis, son palais déserté,
La fuite d'une cour que sa chute a bannie,
Sont autant de liens qui retiennent Junie.
Tout ce que vous voyez conspire[1] à vos désirs ;
650 Vos jours toujours sereins coulent dans les plaisirs.
L'Empire en est pour vous l'inépuisable source ;
Ou si quelque chagrin en interrompt la course,
Tout l'univers, soigneux de les entretenir,
S'empresse à l'effacer de votre souvenir.
655 Britannicus est seul. Quelque ennui qui le presse,
Il ne voit dans son sort que moi qui s'intéresse,
Et n'a pour tous plaisirs, Seigneur, que quelques pleurs
Qui lui font quelquefois oublier ses malheurs.

---

1. **Conspire :** contribue.

### NÉRON

Et ce sont ces plaisirs et ces pleurs que j'envie,
Que tout autre que lui me paîrait de sa vie.                        660
Mais je garde à ce prince un traitement plus doux.
Madame, il va bientôt paraître devant vous.

### JUNIE

Ah ! Seigneur, vos vertus m'ont toujours rassurée.

### NÉRON

Je pouvais de ces lieux lui défendre l'entrée ;
Mais, Madame, je veux prévenir le danger                           665
Où son ressentiment le pourrait engager.
Je ne veux point le perdre. Il vaut mieux que lui-même
Entende son arrêt de la bouche qu'il aime.
Si ses jours vous sont chers, éloignez-le de vous
Sans qu'il ait aucun lieu¹ de me croire jaloux.                   670
De son bannissement prenez sur vous l'offense ;
Et soit par vos discours, soit par votre silence,
Du moins par vos froideurs, faites-lui concevoir
Qu'il doit porter ailleurs ses vœux et son espoir.

### JUNIE

Moi ! Que je lui prononce un arrêt si sévère !                     675
Ma bouche mille fois lui jura le contraire.
Quand même jusque-là je pourrais me trahir,
Mes yeux lui défendront, Seigneur, de m'obéir.

### NÉRON

Caché près de ces lieux, je vous verrai, Madame.
Renfermez votre amour dans le fond de votre âme.                  680
Vous n'aurez point pour moi de langages secrets :
J'entendrai des regards que vous croirez muets ;
Et sa perte sera l'infaillible salaire
D'un geste ou d'un soupir échappé pour lui plaire.

### JUNIE

Hélas ! si j'ose encor former quelques souhaits,                  685
Seigneur, permettez-moi de ne le voir jamais.

---

1. **Lieu** : raison.

65

# Clefs d'analyse

Acte II, scènes 1, 2 et 3.

## Compréhension

### L'arrivée de Néron

- Observer la présentation du personnage de Néron (II, 1 et 2).
- Relever les expressions qui lient l'amour et la politique dans les propos de Néron (II, 1, 2 et 3).

### Narcisse, le traître du drame

- Relever le vocabulaire de la traîtrise dans le discours de Narcisse (II, 2).
- Observer et juger les conseils que Narcisse donne à Néron (II, 2).

### Le portrait de Junie

- Relever les traits caractéristiques du personnage de Junie (II, 3).

## Réflexion

### L'amour et le pouvoir

- Analyser les relations mère/fils dans les vers 483-510 (II, 2).
- Analyser les étapes du discours de Néron à Junie (II, 3).

### Le registre tragique

- Expliquer le dilemme dans lequel Néron place Junie (II, 3 et 4).
- Analyser les figures de style qui confèrent à ces scènes une tonalité tragique (II, 2 et 3).

### À retenir :

*Les premières scènes de l'acte II introduisent des éléments dramatiques de surprise et d'angoisse sur le mode du « coup de théâtre » : le spectateur découvre ainsi la traîtrise de Narcisse et la confiance naïve du gouverneur de Britannicus à son égard, la passion jalouse de Néron, qui menace Junie et Britannicus en les enfermant dans un piège cruel, symptomatique d'un pouvoir tyrannique.*

# Scène 4 Néron, Junie, Narcisse

### NARCISSE
Britannicus, Seigneur, demande la Princesse :
Il approche.

### NÉRON
Qu'il vienne.

### JUNIE
Ah ! Seigneur.

### NÉRON
Je vous laisse.
Sa fortune dépend de vous plus que de moi.
Madame, en le voyant, songez que je vous voi.          690


# Scène 5 Junie, Narcisse

### JUNIE
Ah ! cher Narcisse, cours au-devant de ton maître ;
Dis-lui… Je suis perdue, et je le vois paraître.

# Scène 6 <small>Junie, Britannicus, Narcisse</small>

### BRITANNICUS

Madame, quel bonheur me rapproche de vous ?
Quoi ? je puis donc jouir d'un entretien si doux ?
695 Mais parmi ce plaisir quel chagrin me dévore !
Hélas ! puis-je espérer de vous revoir encore ?
Faut-il que je dérobe, avec mille détours,
Un bonheur que vos yeux m'accordaient tous les jours ?
Quelle nuit ! Quel réveil ! Vos pleurs, votre présence
700 N'ont point de ces cruels désarmé l'insolence ?
Que faisait votre amant[1] ? Quel démon envieux
M'a refusé l'honneur de mourir à vos yeux ?
Hélas ! dans la frayeur dont vous étiez atteinte,
M'avez-vous en secret adressé quelque plainte ?
705 Ma Princesse, avez-vous daigné me souhaiter ?
Songiez-vous aux douleurs que vous m'alliez coûter ?
Vous ne me dites rien ? Quel accueil ! Quelle glace !
Est-ce ainsi que vos yeux consolent ma disgrâce ?
Parlez. Nous sommes seuls : notre ennemi trompé,
710 Tandis que je vous parle, est ailleurs occupé.
Ménageons les moments de cette heureuse absence.

### JUNIE

Vous êtes en des lieux tout pleins de sa puissance.
Ces murs mêmes, Seigneur, peuvent avoir des yeux ;
Et jamais l'Empereur n'est absent de ces lieux.

### BRITANNICUS

715 Et depuis quand, Madame, êtes-vous si craintive ?
Quoi ? déjà votre amour souffre qu'on le captive ?
Qu'est devenu ce cœur qui me jurait toujours
De faire à Néron même envier nos amours ?
Mais bannissez, Madame, une inutile crainte.

---

1. **Amant :** qui aime et qui est aimé.

La foi dans tous les cœurs n'est pas encore éteinte ;    720
Chacun semble des yeux approuver mon courroux ;
La mère de Néron se déclare pour nous.
Rome, de sa conduite elle-même offensée...

### JUNIE

Ah ! Seigneur, vous parlez contre votre pensée.
Vous-même, vous m'avez avoué mille fois    725
Que Rome le louait d'une commune voix ;
Toujours à sa vertu vous rendiez quelque hommage.
Sans doute la douleur vous dicte ce langage.

### BRITANNICUS

Ce discours me surprend, il le faut avouer.
Je ne vous cherchais pas pour l'entendre louer.    730
Quoi ! pour vous confier la douleur qui m'accable,
À peine je dérobe un moment favorable,
Et ce moment si cher, Madame, est consumé
À louer l'ennemi dont je suis opprimé ?
Qui vous rend à vous-même, en un jour, si contraire ?    735
Quoi ! même vos regards ont appris à se taire ?
Que vois-je ? Vous craignez de rencontrer mes yeux ?
Néron vous plairait-il ? Vous serais-je odieux ?
Ah ! si je le croyais... Au nom des Dieux, Madame,
Éclaircissez le trouble où vous jetez mon âme.    740
Parlez. Ne suis-je plus dans votre souvenir ?

### JUNIE

Retirez-vous, Seigneur, l'Empereur va venir.

### BRITANNICUS

Après ce coup, Narcisse, à qui dois-je m'attendre ?

# Scène 7 NÉRON, JUNIE, NARCISSE

**NÉRON**

Madame…

**JUNIE**

Non, Seigneur, je ne puis rien entendre.
745 Vous êtes obéi. Laissez couler du moins
Des larmes dont ses yeux ne seront pas témoins.

# Scène 8 NÉRON, NARCISSE

**NÉRON**

Hé bien ! de leur amour tu vois la violence,
Narcisse : elle a paru jusque dans son silence.
Elle aime mon rival, je ne puis l'ignorer ;
750 Mais je mettrai ma joie à le désespérer.
Je me fais de sa peine une image charmante,
Et je l'ai vu douter du cœur de son amante.
Je la suis. Mon rival t'attend pour éclater.
Par de nouveaux soupçons, va, cours le tourmenter ;
755 Et tandis qu'à mes yeux on le pleure, on l'adore,
Fais-lui payer bien cher un bonheur qu'il ignore.

**NARCISSE, *seul***

La fortune[1] t'appelle une seconde fois[2],
Narcisse, voudrais-tu résister à sa voix ?
Suivons jusques au bout ses ordres favorables ;
760 Et pour nous rendre heureux, perdons les misérables.

---

1. **Fortune :** le sort, le hasard, la destinée. À Rome, Fortuna était une déesse.
2. **Une seconde fois :** d'abord favori de Claude, il est à présent l'âme damnée de Néron.

# Clefs d'analyse

Acte II, scènes 4 à 8.

## Compréhension

### La scène à témoin caché

- Observer les diverses façons dont Junie essaie de prévenir Britannicus de la présence de Néron (II, 5 et 6).
- Relever le champ lexical du regard (II, 6).

## Réflexion

### L'omniprésence de Néron

- Analyser les sentiments de Néron à l'issue de l'acte II (II, 8).
- Analyser et discuter le chantage que Néron exerce sur Junie et Britannicus.

### Le tragique

- Expliquer le rôle de Junie dans l'acte II.
- Montrer comment Racine suscite « la terreur et la pitié » dans ces scènes.

### À retenir :

*L'acte II est marqué par l'entrée en scène de Néron : le jeune empereur agit pour se débarrasser des liens familiaux, politiques et tout simplement éthiques qui brident encore ses instincts. Le personnage de Junie, qui est une création poétique de Racine et non un personnage historique, intervient pour donner une dimension amoureuse à un conflit qui, sans elle, ne serait que politique.*

# Synthèse Acte II

## La quête de la liberté

### Personnages

#### Néron et la liberté

La tragédie *Britannicus* aurait en fait pu s'intituler *Néron*, même si le personnage historique, à la fin de l'épisode dramatique raconté par Racine, a encore devant lui bien des injustices et des crimes à commettre. En effet, attendu tout au long de l'acte I et présenté de manière contrastée mais inquiétante, à travers les paroles des autres personnages, il tente, dans le deuxième acte, en adolescent qu'il est encore, de secouer le joug de sa mère, de son gouverneur et, tout simplement, de la morale. L'acte II peut être analysé comme la quête de la liberté de ce « monstre naissant ». Ce qui rend cette quête angoissante et dangereuse pour la liberté et la vie des autres personnages, c'est que Néron se trouve au sommet du pouvoir politique, tour à tour désigné « César », « empereur », celui « à qui Rome a commis l'empire des humains », comme il le dit lui-même à Junie pour l'éblouir.

### Langage

#### La lyrique amoureuse de la contrainte

L'écriture de Racine, dans les scènes 3 et 6 de l'acte II, met en scène deux moments intenses de lyrique amoureuse : la déclaration d'amour de Néron à Junie et la tentative de cette dernière de déjouer le piège tendu à Britannicus. Dans le discours de Néron, ce qui frappe, c'est l'évolution des arguments visant à soumettre Junie : le style racinien passe tour à tour de tournures galantes, presque précieuses (v. 541-542, v. 546), à un discours dominateur (v. 565-566), puis politique et social (v. 588, 596, etc.), avant de devenir explicitement menaçant et d'enfermer

# Synthèse Acte II

Junie (et donc Britannicus) dans un piège. Le nœud tragique se noue dans cet affrontement à la fois amoureux et politique.

Dans la scène qui rapproche ensuite les deux jeunes amants, sous le regard invisible de Néron, c'est encore la contrainte qui organise les paroles de Junie, mais c'est la tendresse amoureuse que le spectateur perçoit et entend (et le premier d'entre eux dans cette mise en scène cruelle, Néron). À cette subtile dialectique amoureuse de la contrainte répond le discours ému et plein d'incompréhension de Britannicus (v. 730-734), comme l'écho d'un temps de bonheur révolu.

## Société

### La puissance et la gloire au temps du Roi-Soleil

La tragédie *Britannicus* a été écrite au moment où Louis XIV affermissait son pouvoir personnel. Même si la réflexion générale sur le pouvoir monarchique est une constante dans les tragédies du XVIIᵉ siècle, en particulier celles de Corneille, il est intéressant d'étudier les propos de Néron sur l'orgueil que devrait éprouver Junie à l'épouser dans cette perspective : « En échange de la beauté et de l'amour, écrit le critique Philip Butler, il offre le plus grand des dons, une couronne. Sa colère devant le refus de Junie n'est pas seulement le dépit d'un amant repoussé, c'est aussi la stupeur indignée que provoque un phénomène inouï et déroutant. »

La dialectique de Néron sur la gloire du pouvoir suprême correspond en fait à un phénomène réel des représentations du monde au XVIIᵉ siècle.

# ACTE III

## Scène 1 NÉRON, BURRHUS

**BURRHUS**

Pallas obéira, Seigneur.

**NÉRON**

Et de quel œil
Ma mère a-t-elle vu confondre son orgueil ?

**BURRHUS**

Ne doutez point, Seigneur, que ce coup ne la frappe,
Qu'en reproches bientôt sa douleur ne s'échappe.
765 Ses transports dès longtemps commencent d'éclater.
À d'inutiles cris puissent-ils s'arrêter !

**NÉRON**

Quoi ? de quelque dessein la croyez-vous capable ?

**BURRHUS**

Agrippine, Seigneur, est toujours redoutable.
Rome et tous vos soldats révèrent ses aïeux ;
770 Germanicus son père est présent à leurs yeux.
Elle sait son pouvoir ; vous savez son courage ;
Et ce qui me la fait redouter davantage,
C'est que vous appuyez vous-même son courroux,
Et que vous lui donnez des armes contre vous.

**NÉRON**

775 Moi, Burrhus ?

**BURRHUS**

Cet amour, Seigneur, qui vous possède...

**NÉRON**

Je vous entends, Burrhus : le mal est sans remède.
Mon cœur s'en est plus dit que vous ne m'en direz.
Il faut que j'aime enfin.

**BURRHUS**

Vous vous le figurez,
Seigneur ; et satisfait de quelque résistance,

Vous redoutez un mal faible dans sa naissance.        780
Mais si, dans son devoir, votre cœur affermi
Voulait ne point s'entendre avec son ennemi ;
Si de vos premiers ans vous consultiez la gloire ;
Si vous daigniez, Seigneur, rappeler la mémoire
Des vertus d'Octavie, indignes de ce prix,        785
Et de son chaste amour vainqueur de vos mépris ;
Surtout si, de Junie évitant la présence,
Vous condamniez vos yeux à quelques jours d'absence :
Croyez-moi, quelque amour qui semble vous charmer,
On n'aime point, Seigneur, si l'on ne veut aimer.        790

#### NÉRON

Je vous croirai, Burrhus, lorsque dans les alarmes
Il faudra soutenir la gloire de nos armes,
Ou lorsque plus tranquille, assis dans le sénat,
Il faudra décider du destin de l'État :
Je m'en reposerai sur votre expérience.        795
Mais, croyez-moi, l'amour est une autre science,
Burrhus ; et je ferais quelque difficulté
D'abaisser jusque-là votre sévérité.
Adieu. Je souffre trop, éloigné de Junie.

# Scène 2 BURRHUS, *seul*

Enfin, Burrhus, Néron découvre son génie.        800
Cette férocité que tu croyais fléchir
De tes faibles liens est prête à s'affranchir.
En quels excès peut-être elle va se répandre !
Ô Dieux ! en ce malheur quel conseil dois-je prendre ?
Sénèque, dont les soins me devraient soulager,        805
Occupé loin de Rome, ignore ce danger.
Mais quoi ? si d'Agrippine excitant la tendresse,
Je pouvais... La voici : mon bonheur me l'adresse.

# Scène 3 AGRIPPINE, BURRHUS, ALBINE

### AGRIPPINE

Hé bien ! je me trompais, Burrhus, dans mes soupçons ?
810 Et vous vous signalez par d'illustres leçons !
On exile Pallas, dont le crime peut-être
Est d'avoir à l'Empire élevé votre maître.
Vous le savez trop bien. Jamais sans ses avis,
Claude, qu'il gouvernait, n'eût adopté mon fils.
815 Que dis-je ? À son épouse on donne une rivale ;
On affranchit Néron de la foi conjugale.
Digne emploi d'un ministre, ennemi des flatteurs,
Choisi pour mettre un frein à ses jeunes ardeurs,
De les flatter lui-même, et nourrir dans son âme
820 Le mépris de sa mère et l'oubli de sa femme !

### BURRHUS

Madame, jusqu'ici c'est trop tôt m'accuser.
L'Empereur n'a rien fait qu'on ne puisse excuser.
N'imputez qu'à Pallas un exil nécessaire :
Son orgueil dès longtemps exigeait ce salaire ;
825 Et l'Empereur ne fait qu'accomplir à regret
Ce que toute la cour demandait en secret.
Le reste est un malheur qui n'est point sans ressource :
Des larmes d'Octavie on peut tarir la source.
Mais calmez vos transports. Par un chemin plus doux,
830 Vous lui pourrez plutôt ramener son époux :
Les menaces, les cris le rendront plus farouche.

### AGRIPPINE

Ah ! l'on s'efforce en vain de me fermer la bouche.
Je vois que mon silence irrite vos dédains ;
Et c'est trop respecter l'ouvrage de mes mains.
835 Pallas n'emporte pas tout l'appui d'Agrippine :
Le ciel m'en laisse assez pour venger ma ruine.
Le fils de Claudius commence à ressentir

Des crimes dont je n'ai que le seul repentir.
J'irai, n'en doutez point, le montrer à l'armée,
Plaindre aux yeux des soldats son enfance opprimée,                840
Leur faire, à mon exemple, expier leur erreur.
On verra d'un côté le fils d'un empereur
Redemandant la foi jurée à sa famille,
Et de Germanicus on entendra la fille ;
De l'autre, l'on verra le fils d'Enobarbus[1],                845
Appuyé de Sénèque et du tribun[2] Burrhus,
Qui tous deux de l'exil rappelés par moi-même,
Partagent à mes yeux l'autorité suprême.
De nos crimes communs je veux qu'on soit instruit :
On saura les chemins par où je l'ai conduit.                850
Pour rendre sa puissance et la vôtre odieuses,
J'avoûrai les rumeurs les plus injurieuses :
Je confesserai tout, exil, assassinats,
Poison même…

### BURRHUS

              Madame, ils ne vous croiront pas.
Ils sauront récuser l'injuste stratagème                855
D'un témoin irrité qui s'accuse lui-même.
Pour moi, qui le premier secondai vos desseins,
Qui fis même jurer l'armée entre ses mains,
Je ne me repens point de ce zèle sincère.
Madame, c'est un fils qui succède à son père.                860
En adoptant Néron, Claudius par son choix
De son fils et du vôtre a confondu les droits.
Rome l'a pu choisir. Ainsi, sans être injuste,
Elle choisit Tibère adopté par Auguste ;
Et le jeune Agrippa, de son sang descendu,                865
Se vit exclus du rang vainement prétendu.

---

1. **Le Fils d'Enobarbus :** Néron était le fils d'Agrippine et de son premier mari, Cneius Domitius Aenobarbus (ou Enobarbus, surnom d'une illustre famille, qui signifie « barbe d'airain »).
2. **Tribun :** officier et magistrat.

Sur tant de fondements sa puissance établie
Par vous-même aujourd'hui ne peut être affaiblie ;
Et s'il m'écoute encor, Madame, sa bonté
870   Vous en fera bientôt perdre la volonté.
J'ai commencé, je vais poursuivre mon ouvrage.

## Scène 4   AGRIPPINE, ALBINE

### ALBINE

Dans quel emportement la douleur vous engage,
Madame ! L'Empereur puisse-t-il l'ignorer !

### AGRIPPINE

Ah ! lui-même à mes yeux puisse-t-il se montrer !

### ALBINE

875   Madame, au nom des Dieux, cachez votre colère.
Quoi ? pour les intérêts de la sœur ou du frère,
Faut-il sacrifier le repos de vos jours ?
Contraindrez-vous César jusque dans ses amours ?

### AGRIPPINE

Quoi ! tu ne vois donc pas jusqu'où l'on me ravale,
880   Albine ? C'est à moi qu'on donne une rivale.
Bientôt, si je ne romps ce funeste lien,
Ma place est occupée, et je ne suis plus rien.
Jusqu'ici d'un vain titre Octavie honorée,
Inutile à la cour, en était ignorée.
885   Les grâces, les honneurs par moi seule versés
M'attiraient des mortels les vœux intéressés.
Une autre de César a surpris la tendresse :
Elle aura le pouvoir d'épouse et de maîtresse.
Le fruit de tant de soins, la pompe des Césars,
890   Tout deviendra le prix d'un seul de ses regards.
Que dis-je ? l'on m'évite, et déjà délaissée…
Ah ! je ne puis, Albine, en souffrir la pensée.
Quand je devrais du ciel hâter l'arrêt fatal,
Néron, l'ingrat Néron… Mais voici son rival.

# Clefs d'analyse

**Acte III, scènes 1 à 4.**

## Compréhension

▌ *Les rapports entre Burrhus et Néron*

- Observer les étapes de l'argumentation de Burrhus (III, 1).
- Relever l'ironie dont fait preuve Néron à l'égard de son gouverneur (III, 1).

▌ *Le monologue de Burrhus*

- Montrer l'inquiétude de Burrhus (III, 2).

▌ *L'affrontement entre Burrhus et Agrippine*

- Comparer la scène 3 de l'acte III et la scène 2 de l'acte I : montrer comment le conflit entre les deux personnages a progressé.
- Expliquer les objectifs de ces deux personnages. Pourquoi peut-on parler de malentendu tragique ?

## Réflexion

▌ *La colère d'Agrippine*

- Analyser les procédés que Racine utilise pour traduire les sentiments de son personnage (III, 3 et 4).

▌ *Le registre pathétique*

- Expliquer comment le personnage, jusque-là terrible, d'Agrippine prend une dimension pathétique (III, 4).

### À retenir :

*L'acte III montre la manière dont Néron découvre son pouvoir et commence à l'exercer : le spectateur assiste en direct à la naissance du « monstre » que va devenir Néron. Ni le respect pour sa mère ni les sages conseils de son gouverneur ne peuvent plus l'arrêter sur le chemin du crime et de la tyrannie.*

## Scène 5 <small>BRITANNICUS, AGRIPPINE, NARCISSE, ALBINE</small>

**BRITANNICUS**

895 Nos ennemis communs ne sont pas invincibles,
Madame : nos malheurs trouvent des cœurs sensibles.
Vos amis et les miens, jusqu'alors si secrets,
Tandis que nous perdions le temps en vains regrets,
Animés du courroux qu'allume l'injustice,
900 Viennent de confier leur douleur à Narcisse.
Néron n'est pas encor tranquille possesseur
De l'ingrate qu'il aime au mépris de ma sœur.
Si vous êtes toujours sensible à son injure,
On peut dans son devoir ramener le parjure.
905 La moitié du sénat s'intéresse pour nous :
Sylla, Pison, Plautus...

**AGRIPPINE**

Prince, que dites-vous ?
Sylla, Pison, Plautus ! les chefs de la noblesse !

**BRITANNICUS**

Madame, je vois bien que ce discours vous blesse,
Et que votre courroux, tremblant, irrésolu,
910 Craint déjà d'obtenir tout ce qu'il a voulu.
Non, vous avez trop bien établi ma disgrâce :
D'aucun ami pour moi ne redoutez l'audace.
Il ne m'en reste plus ; et vos soins trop prudents
Les ont tous écartés ou séduits dès longtemps.

**AGRIPPINE**

915 Seigneur, à vos soupçons donnez moins de créance :
Notre salut dépend de notre intelligence[1].
J'ai promis, il suffit. Malgré vos ennemis,
Je ne révoque rien de ce que j'ai promis.

---

1. **Intelligence :** alliance.

Le coupable Néron fuit en vain ma colère :
Tôt ou tard il faudra qu'il entende sa mère.               920
J'essaîrai tour à tour la force et la douceur ;
Ou moi-même, avec moi conduisant votre sœur,
J'irai semer partout ma crainte et ses alarmes,
Et ranger tous les cœurs du parti de ses larmes.
Adieu. J'assiégerai Néron de toutes parts.               925
Vous, si vous m'en croyez, évitez ses regards.

## Scène 6 <small>BRITANNICUS, NARCISSE</small>

**BRITANNICUS**
Ne m'as-tu point flatté d'une fausse espérance ?
Puis-je sur ton récit fonder quelque assurance,
Narcisse ?

**NARCISSE**
　　　　Oui. Mais, Seigneur, ce n'est pas en ces lieux
Qu'il faut développer ce mystère à vos yeux.               930
Sortons. Qu'attendez-vous ?

**BRITANNICUS**
　　　　　　　　Ce que j'attends, Narcisse ?
Hélas !

**NARCISSE**
　　Expliquez-vous.

**BRITANNICUS**
　　　　　　Si par ton artifice
Je pouvais revoir…

**NARCISSE**
　　　　Qui ?

**BRITANNICUS**
　　　　　　J'en rougis. Mais enfin
D'un cœur moins agité j'attendrais mon destin.

**NARCISSE**
Après tous mes discours, vous la croyez fidèle ?               935

#### BRITANNICUS

Non, je la crois, Narcisse, ingrate, criminelle,
Digne de mon courroux ; mais je sens, malgré moi,
Que je ne le crois pas autant que je le doi.
Dans ses égarements mon cœur opiniâtre
940 Lui prête des raisons, l'excuse, l'idolâtre.
Je voudrais vaincre enfin mon incrédulité :
Je la voudrais haïr avec tranquillité.
Et qui croira qu'un cœur si grand en apparence,
D'une infidèle cour ennemi dès l'enfance,
945 Renonce à tant de gloire, et dès le premier jour
Trame une perfidie inouïe à la cour ?

#### NARCISSE

Et qui sait si l'ingrate, en sa longue retraite,
N'a point de l'Empereur médité la défaite ?
Trop sûre que ses yeux ne pouvaient se cacher,
950 Peut-être elle fuyait pour se faire chercher,
Pour exciter Néron par la gloire pénible
De vaincre une fierté jusqu'alors invincible.

#### BRITANNICUS

Je ne la puis donc voir ?

#### NARCISSE

              Seigneur, en ce moment
Elle reçoit les vœux de son nouvel amant.

#### BRITANNICUS

955 Hé bien ! Narcisse, allons. Mais que vois-je ? C'est elle.

#### NARCISSE

Ah, Dieux ! À l'Empereur portons cette nouvelle.

# Clefs d'analyse
Acte III, scènes 5 et 6.

## Compréhension

### Le malentendu tragique

- Relever les termes qui montrent l'incompréhension réciproque de Britannicus et d'Agrippine (III, 5).
- Montrer que la présence muette de Narcisse constitue un élément tragique (III, 5).
- Relever les attitudes et les termes qui prouvent la traîtrise de Narcisse (III, 6).

## Réflexion

### La dimension théâtrale

- Analyser l'arrivée de Junie à la fin de la scène 6 et la réaction de Narcisse.

### La progression de l'intrigue

- Comparer les deux rencontres de Britannicus et d'Agrippine (I, 3 ; III, 5).
- Analyser le revirement des personnages.

## À retenir :

*Par sa naïveté et sa confiance aussi bien en Agrippine, son ennemie mortelle, qu'en Narcisse, le stéréotype du traître, Britannicus acquiert véritablement dans ces deux scènes le statut de héros tragique. Le coup de théâtre de l'arrivée de Junie à la fin de la scène 6 donne un nouveau dynamisme à l'intrigue.*

# Scène 7 BRITANNICUS, JUNIE

**JUNIE**

Retirez-vous, Seigneur, et fuyez un courroux
Que ma persévérance allume contre vous.
Néron est irrité. Je me suis échappée,
960 Tandis qu'à l'arrêter sa mère est occupée.
Adieu : réservez-vous, sans blesser mon amour,
Au plaisir de me voir justifier un jour.
Votre image sans cesse est présente à mon âme :
Rien ne l'en peut bannir.

**BRITANNICUS**

                    Je vous entends, Madame :
965 Vous voulez que ma fuite assure vos désirs,
Que je laisse un champ libre à vos nouveaux soupirs.
Sans doute, en me voyant, une pudeur secrète
Ne vous laisse goûter qu'une joie inquiète.
Hé bien ! il faut partir.

**JUNIE**

                    Seigneur, sans m'imputer...

**BRITANNICUS**

970 Ah ! vous deviez du moins plus longtemps disputer.
Je ne murmure point qu'une amitié commune
Se range du parti que flatte la fortune,
Que l'éclat d'un empire ait pu vous éblouir,
Qu'aux dépens de ma sœur vous en vouliez jouir ;
975 Mais que de ces grandeurs comme une autre occupée,
Vous m'en ayez paru si longtemps détrompée :
Non, je l'avoue encor, mon cœur désespéré
Contre ce seul malheur n'était point préparé.
J'ai vu sur ma ruine élever l'injustice ;
980 De mes persécuteurs j'ai vu le ciel complice.
Tant d'horreurs n'avaient point épuisé son courroux,
Madame : il me restait d'être oublié de vous.

**JUNIE**

Dans un temps plus heureux ma juste impatience
Vous ferait repentir de votre défiance.
Mais Néron vous menace : en ce pressant danger,                    985
Seigneur, j'ai d'autres soins que de vous affliger.
Allez, rassurez-vous, et cessez de vous plaindre :
Néron nous écoutait, et m'ordonnait de feindre.

**BRITANNICUS**

Quoi ? le cruel...

**JUNIE**

       Témoin de tout notre entretien,
D'un visage sévère examinait le mien.                              990
Prêt à faire sur vous éclater la vengeance
D'un geste confident de notre intelligence.

**BRITANNICUS**

Néron nous écoutait, Madame ! Mais, hélas !
Vos yeux auraient pu feindre, et ne m'abuser pas.
Ils pouvaient me nommer l'auteur de cet outrage.                   995
L'amour est-il muet, ou n'a-t-il qu'un langage ?
De quel trouble un regard pouvait me préserver !
Il fallait...

**JUNIE**

      Il fallait me taire et vous sauver.
Combien de fois, hélas ! puisqu'il faut vous le dire,
Mon cœur de son désordre allait-il vous instruire !              1000
De combien de soupirs interrompant le cours
Ai-je évité vos yeux que je cherchais toujours !
Quel tourment de se taire en voyant ce qu'on aime !
De l'entendre gémir, de l'affliger soi-même,
Lorsque par un regard on peut le consoler !                      1005
Mais quels pleurs ce regard aurait-il fait couler !
Ah ! dans ce souvenir, inquiète, troublée,
Je ne me sentais pas assez dissimulée.
De mon front effrayé je craignais la pâleur ;
Je trouvais mes regards trop pleins de ma douleur.               1010
Sans cesse il me semblait que Néron en colère
Me venait reprocher trop de soin de vous plaire ;

**85**

Je craignais mon amour vainement renfermé ;
Enfin, j'aurais voulu n'avoir jamais aimé.
1015 Hélas ! pour son bonheur, Seigneur, et pour le nôtre,
Il n'est que trop instruit de mon cœur et du vôtre.
Allez, encore un coup, cachez-vous à ses yeux :
Mon cœur plus à loisir vous éclaircira mieux.
De mille autres secrets j'aurais compte à vous rendre.

#### BRITANNICUS

1020 Ah ! n'en voilà que trop. C'est trop me faire entendre,
Madame, mon bonheur, mon crime, vos bontés.
Et savez-vous pour moi tout ce que vous quittez ?
Quand pourrai-je à vos pieds expier ce reproche ?

#### JUNIE

Que faites-vous ? Hélas ! Votre rival s'approche.

# Scène 8 NÉRON, BRITANNICUS, JUNIE

#### NÉRON

1025 Prince, continuez des transports si charmants.
Je conçois vos bontés par ses remercîments,
Madame : à vos genoux je viens de le surprendre.
Mais il aurait aussi quelque grâce à me rendre :
Ce lieu le favorise, et je vous y retiens
1030 Pour lui faciliter de si doux entretiens.

#### BRITANNICUS

Je puis mettre à ses pieds ma douleur ou ma joie
Partout où sa bonté consent que je la voie ;
Et l'aspect de ces lieux où vous la retenez
N'a rien dont mes regards doivent être étonnés.

#### NÉRON

1035 Et que vous montrent-ils qui ne vous avertisse
Qu'il faut qu'on me respecte et que l'on m'obéisse ?

**BRITANNICUS**

Ils ne nous ont pas vu l'un et l'autre élever,
Moi pour vous obéir, et vous pour me braver ;
Et ne s'attendaient pas, lorsqu'ils nous virent naître,
Qu'un jour Domitius me dût parler en maître. 1040

**NÉRON**

Ainsi par le destin nos vœux sont traversés :
J'obéissais alors, et vous obéissez.
Si vous n'avez appris à vous laisser conduire,
Vous êtes jeune encore, et l'on peut vous instruire.

**BRITANNICUS**

Et qui m'en instruira ? 1045

**NÉRON**

Tout l'Empire à la fois,
Rome.

**BRITANNICUS**

Rome met-elle au nombre de vos droits
Tout ce qu'a de cruel l'injustice et la force,
Les emprisonnements, le rapt et le divorce ?

**NÉRON**

Rome ne porte point ses regards curieux
Jusque dans des secrets que je cache à ses yeux. 1050
Imitez son respect.

**BRITANNICUS**

On sait ce qu'elle en pense.

**NÉRON**

Elle se tait du moins : imitez son silence.

**BRITANNICUS**

Ainsi Néron commence à ne se plus forcer.

**NÉRON**

Néron de vos discours commence à se lasser.

**BRITANNICUS**

Chacun devait bénir le bonheur de son règne. 1055

**NÉRON**

Heureux ou malheureux, il suffit qu'on me craigne.

**BRITANNICUS**

Je connais mal Junie, ou de tels sentiments
Ne mériteront pas ses applaudissements.

**NÉRON**

Du moins, si je ne sais le secret de lui plaire,
1060 Je sais l'art de punir un rival téméraire.

**BRITANNICUS**

Pour moi, quelque péril qui me puisse accabler,
Sa seule inimitié peut me faire trembler.

**NÉRON**

Souhaitez-la : c'est tout ce que je vous puis dire.

**BRITANNICUS**

Le bonheur de lui plaire est le seul où j'aspire.

**NÉRON**

1065 Elle vous l'a promis, vous lui plairez toujours.

**BRITANNICUS**

Je ne sais pas du moins épier ses discours.
Je la laisse expliquer sur tout ce qui me touche,
Et ne me cache point pour lui fermer la bouche.

**NÉRON**

Je vous entends. Hé bien, gardes !

**JUNIE**

                                     Que faites-vous ?
1070 C'est votre frère. Hélas ! C'est un amant jaloux ;
Seigneur, mille malheurs persécutent sa vie.
Ah ! son bonheur peut-il exciter votre envie ?
Souffrez que de vos cœurs rapprochant les liens,
Je me cache à vos yeux, et me dérobe aux siens.
1075 Ma fuite arrêtera vos discordes fatales ;
Seigneur, j'irai remplir le nombre des Vestales.
Ne lui disputez plus mes vœux infortunés :
Souffrez que les Dieux seuls en soient importunés.

**NÉRON**

L'entreprise, Madame, est étrange et soudaine.
1080 Dans son appartement, gardes, qu'on la ramène.
Gardez Britannicus dans celui de sa sœur.

**BRITANNICUS**

C'est ainsi que Néron sait disputer un cœur.

**JUNIE**

Prince, sans l'irriter, cédons à cet orage.

**NÉRON**

Gardes, obéissez sans tarder davantage.

# Scène 9 NÉRON, BURRHUS

**BURRHUS**

Que vois-je ? Ô ciel ! 1085

**NÉRON,** *sans voir Burrhus*

Ainsi leurs feux sont redoublés.
Je reconnais la main qui les a rassemblés.
Agrippine ne s'est présentée à ma vue,
Ne s'est dans ses discours si longtemps étendue,
Que pour faire jouer ce ressort odieux.
Qu'on sache si ma mère est encore en ces lieux. 1090
Burrhus, dans ce palais je veux qu'on la retienne,
Et qu'au lieu de sa garde on lui donne la mienne.

**BURRHUS**

Quoi, Seigneur ? sans l'ouïr ? Une mère ?

**NÉRON**

Arrêtez :
J'ignore quel projet, Burrhus, vous méditez ;
Mais depuis quelques jours, tout ce que je désire 1095
Trouve en vous un censeur prêt à me contredire.
Répondez-m'en, vous dis-je ; ou sur votre refus
D'autres me répondront et d'elle et de Burrhus.

Gravure d'après un dessin d'Antoine Denis Chaudet
illustrant l'acte III de *Britannicus*.

# Clefs d'analyse

### Acte III, scènes 7 à 9.

## Compréhension

### ▌ Le dépit amoureux
- Relever le champ lexical du regard dans la tirade de Junie. Quelle est ici son importance ? (III, 7).
- Relever le moment où Britannicus comprend enfin la situation réelle (III, 7).

### ▌ L'arrivée inopinée de Néron
- Montrer que l'arrivée soudaine de Néron a été préparée à la fin de la scène 6.
- Expliquer les vers 1025-1028 (III, 8).

## Réflexion

### ▌ Un duo lyrique
- Analyser les rapports entre Britannicus et Junie (III, 7).

### ▌ Un duo tragique
- Expliquer comment cette scène d'amour met en place un nœud tragique (III, 7).
- Étudier l'affrontement entre Britannicus et Néron du double point de vue du conflit amoureux et du conflit politique (III, 8).

### ▌ La versification
- Étudier la structure des vers 1051-1065.

## À retenir :
*Dans une tragédie classique, le troisième acte montre la crise en train d'éclater et l'affrontement des forces en présence : à Néron, soutenu par Narcisse, à son appétit de pouvoir et ses tendances sadiques s'opposent les autres personnages : d'une part, le couple de jeunes premiers, formé par Britannicus et Junie ; d'autre part, Agrippine et Burrhus, qui échouent à s'allier politiquement.*

# Synthèse Acte III

## La dimension tragique du récit historique

### Personnages

#### L'impossible alliance d'Agrippine et de Burrhus

En présentant le conflit entre Agrippine et Burrhus, Racine suit de près le récit historique de Tacite, mais cette impossible entente entre les deux personnages accroît la dimension tragique de la pièce. Tout les sépare : l'origine, les mœurs, le caractère, les manières d'agir, les objectifs visés et même la perception de la situation. À l'acte III, au fol emportement d'Agrippine, Burrhus répond par la raison et lui suggère d'emprunter « un chemin plus doux ». Or cette incompréhension et ce mépris mutuels précipitent l'issue de la tragédie : seule leur alliance aurait pu constituer un frein à la folie montante de Néron.

### Langage

#### Les moyens de la joute verbale

Tout au long de l'acte III, les personnages se livrent à des joutes verbales : joute dérisoire entre Burrhus et son élève dans la première scène, joute politique entre Agrippine et Burrhus dans la scène 3 et, surtout, joute mortelle entre Néron et Britannicus dans la scène centrale de la tragédie, qui voit s'affronter deux jeunes gens que tout oppose. Racine utilise toutes les ressources du langage poétique pour mettre en scène ces différents affrontements : en premier lieu, la tirade qui permet aux personnages d'exprimer leurs idées et leurs positions dans des discours assez longs : ainsi Agrippine face à Burrhus, menaçant de faire destituer Néron au bénéfice de Britannicus, aux vers 832-854, ou encore, dans un autre registre, Junie se justifiant de son apparente froideur à l'égard de son amant aux vers 998-1019. Un autre procédé, la stichomythie, donne aux personnages la possibilité d'enchaîner vers à vers de courtes répliques qui se répondent sur un rythme rapide, voire haletant : la scène 8 entre Néron et Britannicus en est un exemple frappant, d'autant plus que la présence silencieuse de Junie donne une dimension de rivalité amoureuse à ce conflit d'ordre politique. D'autres procédés comme l'interruption, l'utilisation d'un lexique de la violence et de la polémique concourent à l'écriture concertée de ces oppositions entre les personnages.

## Société

### La peinture de la vie de cour

> « Les grâces, les honneurs par moi seule versés
> M'attiraient des mortels les vœux intéressés. »
> (III, 4, v. 885-886).

Ainsi Agrippine évoque-t-elle les fondements de son pouvoir à la cour de Néron. Ces vers rappellent la pratique des placets, des charges honorifiques, des faveurs et des largesses de toutes sortes, que les courtisans pouvaient obtenir du roi par l'intermédiaire de ministres bien placés, d'amis et, surtout, de favorites, comme Louise de La Vallière et Mme de Montespan. La vie de cour telle qu'elle est dépeinte dans *Britannicus* présente en effet bien des points communs avec celle de la cour de Louis XIV, décrite, par exemple, dans certaines fables de La Fontaine, dans la section « De la cour » des *Caractères* de La Bruyère et, plus tard, vers la fin du règne, mais avec une méchanceté et une acuité sans égales, dans les *Mémoires* de Saint-Simon.

# ACTE IV

## Scène 1 AGRIPPINE, BURRHUS

**BURRHUS**

Oui, Madame, à loisir vous pourrez vous défendre :
1100 César lui-même ici consent de vous entendre.
Si son ordre au palais vous a fait retenir,
C'est peut-être à dessein de vous entretenir.
Quoi qu'il en soit, si j'ose expliquer ma pensée,
Ne vous souvenez plus qu'il vous ait offensée :
1105 Préparez-vous plutôt à lui tendre les bras ;
Défendez-vous, Madame, et ne l'accusez pas.
Vous voyez, c'est lui seul que la cour envisage.
Quoiqu'il soit votre fils, et même votre ouvrage,
Il est votre empereur. Vous êtes, comme nous,
1110 Sujette à ce pouvoir qu'il a reçu de vous.
Selon qu'il vous menace, ou bien qu'il vous caresse,
La cour autour de vous ou s'écarte, ou s'empresse.
C'est son appui qu'on cherche, en cherchant votre appui.
Mais voici l'Empereur.

**AGRIPPINE**

Qu'on me laisse avec lui.

# Scène 2 AGRIPPINE, NÉRON

**AGRIPPINE,** *s'asseyant.*

Approchez-vous, Néron, et prenez votre place.　　　　1115
On veut sur vos soupçons que je vous satisfasse.
J'ignore de quel crime on a pu me noircir :
De tous ceux que j'ai faits je vais vous éclaircir.
Vous régnez. Vous savez combien votre naissance
Entre l'Empire et vous avait mis de distance.　　　　1120
Les droits de mes aïeux, que Rome a consacrés,
Étaient même, sans moi, d'inutiles degrés.
Quand de Britannicus la mère condamnée [1]
Laissa de Claudius disputer l'hyménée,
Parmi tant de beautés qui briguèrent son choix,　　　　1125
Qui de ses affranchis mendièrent les voix,
Je souhaitai son lit, dans la seule pensée
De vous laisser au trône où je serais placée.
Je fléchis mon orgueil, j'allai prier Pallas.
Son maître, chaque jour caressé dans mes bras,　　　　1130
Prit insensiblement dans les yeux de sa nièce
L'amour où je voulais amener sa tendresse.
Mais ce lien du sang qui nous joignait tous deux
Écartait Claudius d'un lit incestueux.
Il n'osait épouser la fille de son frère [2].　　　　1135
Le sénat fut séduit : une loi moins sévère
Mit Claude dans mon lit, et Rome à mes genoux.
C'était beaucoup pour moi, ce n'était rien pour vous.
Je vous fis sur mes pas entrer dans sa famille :

---

1. **Mère condamnée :** il s'agit de Messaline (25-48 apr. J.-C.), la troisième femme de l'empereur Claude, exemple même de la débauche et de la dépravation. Elle fut condamnée à mort par son époux et exécutée.
2. **La fille de son frère :** Germanicus était le frère de Claude, tous deux adoptés par Tibère.

1140 Je vous nommai son gendre, et vous donnai sa fille.
Silanus, qui l'aimait, s'en vit abandonné,
Et marqua de son sang ce jour infortuné.
Ce n'était rien encore. Eussiez-vous pu prétendre
Qu'un jour Claude à son fils dût préférer son gendre ?
1145 De ce même Pallas j'implorai le secours :
Claude vous adopta, vaincu par ses discours,
Vous appela Néron, et du pouvoir suprême
Voulut, avant le temps, vous faire part lui-même.
C'est alors que chacun, rappelant le passé,
1150 Découvrit mon dessein, déjà trop avancé ;
Que de Britannicus la disgrâce future
Des amis de son père excita le murmure.
Mes promesses aux uns éblouirent les yeux ;
L'exil me délivra des plus séditieux[1] ;
1155 Claude même, lassé de ma plainte éternelle,
Éloigna de son fils tous ceux de qui le zèle,
Engagé dès longtemps à suivre son destin,
Pouvait du trône encor lui rouvrir le chemin.
Je fis plus : je choisis moi-même dans ma suite
1160 Ceux à qui je voulais qu'on livrât sa conduite :
J'eus soin de vous nommer, par un contraire choix,
Des gouverneurs que Rome honorait de sa voix.
Je fus sourde à la brigue, et crus la renommée.
J'appelai de l'exil, je tirai de l'armée,
1165 Et ce même Sénèque, et ce même Burrhus,
Qui depuis... Rome alors estimait leurs vertus.
De Claude en même temps épuisant les richesses,
Ma main, sous votre nom, répandait ses largesses.
Les spectacles, les dons, invincibles appâts,
1170 Vous attiraient les cœurs du peuple et des soldats,
Qui d'ailleurs, réveillant leur tendresse première,
Favorisaient en vous Germanicus mon père.
Cependant Claudius penchait vers son déclin.
Ses yeux, longtemps fermés, s'ouvrirent à la fin :

---

1. **Séditieux :** qui se livrent à des complots.

Il connut son erreur. Occupé de sa crainte,                    1175
Il laissa pour son fils échapper quelque plainte,
Et voulut, mais trop tard, assembler ses amis.
Ses gardes, son palais, son lit m'étaient soumis.
Je lui laissai sans fruit consumer sa tendresse ;
De ses derniers soupirs je me rendis maîtresse.              1180
Mes soins, en apparence épargnant ses douleurs,
De son fils, en mourant, lui cachèrent les pleurs.
Il mourut. Mille bruits en courent à ma honte.
J'arrêtai de sa mort la nouvelle trop prompte ;
Et tandis que Burrhus allait secrètement                       1185
De l'armée en vos mains exiger le serment,
Que vous marchiez au camp, conduit sous mes auspices [1],
Dans Rome les autels fumaient de sacrifices ;
Par mes ordres trompeurs tout le peuple excité
Du prince déjà mort demandait la santé.                        1190
Enfin des légions l'entière obéissance
Ayant de votre empire affermi la puissance,
On vit Claude ; et le peuple, étonné de son sort,
Apprit en même temps votre règne et sa mort.
C'est le sincère aveu que je voulais vous faire :               1195
Voilà tous mes forfaits. En voici le salaire.
Du fruit de tant de soins à peine jouissant
En avez-vous six mois paru reconnaissant,
Que lassé d'un respect qui vous gênait peut-être,
Vous avez affecté de ne me plus connaître.                     1200
J'ai vu Burrhus, Sénèque, aigrissant vos soupçons,
De l'infidélité vous tracer des leçons,
Ravis d'être vaincus dans leur propre science.
J'ai vu favoriser de votre confiance
Othon, Sénécion [2], jeunes voluptueux,                        1205

---

1. **Auspices :** mot d'origine latine, en relation avec les présages de l'observation des oiseaux, qui symbolise le commandement en chef et qui signifie donc « faveur », « protection ».

2. **Othon, Sénécion :** Othon succéda comme empereur à Galba et Néron, et régna trois mois. Sénécion était le fils d'un affranchi de Claude.

Et de tous vos plaisirs flatteurs respectueux ;
Et lorsque vos mépris excitant mes murmures,
Je vous ai demandé raison de tant d'injures
(Seul recours d'un ingrat qui se voit confondu),
1210 Par de nouveaux affronts vous m'avez répondu.
Aujourd'hui je promets Junie à votre frère ;
Ils se flattent tous deux du choix de votre mère :
Que faites-vous ? Junie, enlevée à la cour,
Devient en une nuit l'objet de votre amour ;
1215 Je vois de votre cœur Octavie effacée,
Prête à sortir du lit où je l'avais placée ;
Je vois Pallas banni, votre frère arrêté ;
Vous attentez enfin jusqu'à ma liberté :
Burrhus ose sur moi porter ses mains hardies.
1220 Et lorsque convaincu de tant de perfidies,
Vous deviez ne me voir que pour les expier,
C'est vous qui m'ordonnez de me justifier.

**NÉRON**

Je me souviens toujours que je vous dois l'Empire ;
Et sans vous fatiguer du soin de le redire,
1225 Votre bonté, Madame, avec tranquillité
Pouvait se reposer sur ma fidélité.
Aussi bien ces soupçons, ces plaintes assidues
Ont fait croire à tous ceux qui les ont entendues
Que jadis (j'ose ici vous le dire entre nous)
1230 Vous n'aviez, sous mon nom, travaillé que pour vous.
« Tant d'honneur, disaient-ils, et tant de déférences,
Sont-ce de ses bienfaits de faibles récompenses ?
Quel crime a donc commis ce fils tant condamné ?
Est-ce pour obéir qu'elle l'a couronné ?
1235 N'est-il de son pouvoir que le dépositaire ? »
Non que, si jusque-là j'avais pu vous complaire,
Je n'eusse pris plaisir, Madame, à vous céder
Ce pouvoir que vos cris semblaient redemander.
Mais Rome veut un maître, et non une maîtresse.
1240 Vous entendiez les bruits qu'excitait ma faiblesse.
Le sénat chaque jour et le peuple, irrités
De s'ouïr par ma voix dicter vos volontés,

Publiaient qu'en mourant Claude avec sa puissance
M'avait encor laissé sa simple obéissance.
Vous avez vu cent fois nos soldats en courroux       1245
Porter en murmurant leurs aigles [1] devant vous,
Honteux de rabaisser par cet indigne usage
Les héros dont encore elles portent l'image.
Toute autre se serait rendue à leurs discours ;
Mais si vous ne régnez, vous vous plaignez toujours.     1250
Avec Britannicus contre moi réunie,
Vous le fortifiez du parti de Junie ;
Et la main de Pallas trame tous ces complots.
Et lorsque, malgré moi, j'assure mon repos,
On vous voit de colère et de haine animée.     1255
Vous voulez présenter mon rival à l'armée :
Déjà jusques au camp le bruit en a couru.

### AGRIPPINE

Moi, le faire empereur, ingrat ? L'avez-vous cru ?
Quel serait mon dessein ? Qu'aurais-je pu prétendre ?
Quels honneurs dans sa cour, quel rang pourrais-je attendre ?   1260
Ah ! si sous votre empire on ne m'épargne pas,
Si mes accusateurs observent tous mes pas,
Si de leur empereur ils poursuivent la mère,
Que ferais-je au milieu d'une cour étrangère ?
Ils me reprocheraient, non des cris impuissants,     1265
Des desseins étouffés aussitôt que naissants,
Mais des crimes pour vous commis à votre vue,
Et dont je ne serais que trop tôt convaincue.
Vous ne me trompez point, je vois tous vos détours :
Vous êtes un ingrat, vous le fûtes toujours.     1270
Dès vos plus jeunes ans, mes soins et mes tendresses
N'ont arraché de vous que de feintes caresses.
Rien ne vous a pu vaincre ; et votre dureté
Aurait dû dans son cours arrêter ma bonté.
Que je suis malheureuse ! Et par quelle infortune     1275
Faut-il que tous mes soins me rendent importune ?

---

1. **Aigles** : enseignes des légions romaines.

Je n'ai qu'un fils. Ô ciel qui m'entends aujourd'hui,
T'ai-je fait quelques vœux qui ne fussent pour lui ?
Remords, crainte, périls, rien ne m'a retenue ;
1280 J'ai vaincu ses mépris ; j'ai détourné ma vue
Des malheurs qui dès lors me furent annoncés ;
J'ai fait ce que j'ai pu : vous régnez, c'est assez.
Avec ma liberté, que vous m'avez ravie,
Si vous le souhaitez, prenez encor ma vie ;
1285 Pourvu que par ma mort tout le peuple irrité
Ne vous ravisse pas ce qui m'a tant coûté.

**NÉRON.**

Hé bien donc ! prononcez. Que voulez-vous qu'on fasse ?

**AGRIPPINE.**

De mes accusateurs qu'on punisse l'audace.
Que de Britannicus on calme le courroux,
1290 Que Junie à son choix puisse prendre un époux,
Qu'ils soient libres tous deux, et que Pallas demeure,
Que vous me permettiez de vous voir à toute heure,
Que ce même Burrhus, qui nous vient écouter,
À votre porte enfin n'ose plus m'arrêter.

**NÉRON.**

1295 Oui, Madame, je veux que ma reconnaissance
Désormais dans les cœurs grave votre puissance ;
Et je bénis déjà cette heureuse froideur,
Qui de notre amitié va rallumer l'ardeur.
Quoi que Pallas ait fait, il suffit, je l'oublie ;
1300 Avec Britannicus je me réconcilie ;
Et quant à cet amour qui nous a séparés,
Je vous fais notre arbitre, et vous nous jugerez.
Allez donc, et portez cette joie à mon frère.
Gardes, qu'on obéisse aux ordres de ma mère.

# Clefs d'analyse

### Acte IV, scènes 1 et 2.

## Compréhension

### ▌ *La mise en place de l'affrontement*

- Relever les termes par lesquels Burrhus désigne Néron (IV, 1).
- Relever et expliquer la didascalie qui accompagne la première tirade d'Agrippine (IV, 2).

### ▌ *L'argumentation*

- Relever dans le discours d'Agrippine les différents reproches qu'elle adresse à Néron (IV, 2).
- Montrer les arguments que développe Néron dans sa réponse (IV, 2).

## Réflexion

### ▌ *La tension dramatique*

- Analyser la dernière tirade de Néron (IV, 2, vers 1295-1304). À quoi peut-on s'attendre ?
- Analyser et discuter la sincérité d'Agrippine dans l'ensemble des deux scènes (IV, 1 et 2).

## À retenir :

On s'en souvient, la tragédie de Britannicus s'ouvre sur une demande d'entretien d'Agrippine à Néron : comme le raconte plaisamment Boursault, assistant à la première représentation, « Agrippine, ci-devant impératrice de Rome qui, de peur de ne pas trouver Néron, à qui elle désirait parler, l'attendait à sa porte dès quatre heures du matin, imposa silence à tous ceux qui étaient là pour écouter ». Le dramaturge a donc pris soin de ménager l'intérêt du spectateur en retardant cette entrevue jusqu'à l'acte IV, et donc tout près du dénouement. Par ailleurs, Racine utilise habituellement très peu de didascalies. Il est par conséquent important de comprendre l'intérêt de ces indications scéniques lorsqu'il en emploie, d'autant plus qu'elles sont souvent commentées, comme au début de la scène 2, par les paroles mêmes des personnages.

# Scène 3 <small>NÉRON, BURRHUS</small>

### BURRHUS

1305 Que cette paix, Seigneur, et ces embrassements
Vont offrir à mes yeux des spectacles charmants !
Vous savez si jamais ma voix lui fut contraire,
Si de son amitié j'ai voulu vous distraire,
Et si j'ai mérité cet injuste courroux.

### NÉRON

1310 Je ne vous flatte point, je me plaignais de vous,
Burrhus : je vous ai cru tous deux d'intelligence ;
Mais son inimitié vous rend ma confiance.
Elle se hâte trop, Burrhus, de triompher.
J'embrasse mon rival, mais c'est pour l'étouffer.

### BURRHUS

1315 Quoi ? Seigneur.

### NÉRON

C'en est trop : il faut que sa ruine
Me délivre à jamais des fureurs d'Agrippine.
Tant qu'il respirera, je ne vis qu'à demi.
Elle m'a fatigué de ce nom ennemi :
Et je ne prétends pas que sa coupable audace
1320 Une seconde fois lui promette ma place.

### BURRHUS

Elle va donc bientôt pleurer Britannicus.

### NÉRON

Avant la fin du jour je ne le craindrai plus.

### BURRHUS

Et qui de ce dessein vous inspire l'envie ?

### NÉRON

Ma gloire, mon amour, ma sûreté, ma vie.

### BURRHUS

1325 Non, quoi que vous disiez, cet horrible dessein

Ne fut jamais, Seigneur, conçu dans votre sein.

**NÉRON**

Burrhus !

**BURRHUS**

De votre bouche, ô ciel ! puis-je l'apprendre ?
Vous-même sans frémir avez-vous pu l'entendre ?
Songez-vous dans quel sang vous allez vous baigner ?
Néron dans tous les cœurs est-il las de régner ?          1330
Que dira-t-on de vous ? Quelle est votre pensée ?

**NÉRON**

Quoi ? toujours enchaîné de ma gloire passée,
J'aurai devant les yeux je ne sais quel amour
Que le hasard nous donne et nous ôte en un jour ?
Soumis à tous leurs vœux, à mes désirs contraire,          1335
Suis-je leur empereur seulement pour leur plaire ?

**BURRHUS**

Et ne suffit-il pas, Seigneur, à vos souhaits
Que le bonheur public soit un de vos bienfaits ?
C'est à vous à choisir, vous êtes encor maître.
Vertueux jusqu'ici, vous pouvez toujours l'être :          1340
Le chemin est tracé, rien ne vous retient plus ;
Vous n'avez qu'à marcher de vertus en vertus.
Mais si de vos flatteurs vous suivez la maxime,
Il vous faudra, Seigneur, courir de crime en crime,
Soutenir vos rigueurs par d'autres cruautés,          1345
Et laver dans le sang vos bras ensanglantés.
Britannicus mourant excitera le zèle
De ses amis tout prêts à prendre sa querelle.
Ces vengeurs trouveront de nouveaux défenseurs,
Qui, même après leur mort, auront des successeurs.          1350
Vous allumez un feu qui ne pourra s'éteindre.
Craint de tout l'univers, il vous faudra tout craindre,
Toujours punir, toujours trembler dans vos projets,
Et pour vos ennemis compter tous vos sujets.
Ah ! de vos premiers ans l'heureuse expérience          1355
Vous fait-elle, Seigneur, haïr votre innocence ?
Songez-vous au bonheur qui les a signalés ?

**103**

Dans quel repos, ô ciel ! les avez-vous coulés !
Quel plaisir de penser et de dire en vous-même :
1360 « Partout, en ce moment, on me bénit, on m'aime.
On ne voit point le peuple à mon nom s'alarmer ;
Le ciel dans tous leurs pleurs ne m'entend point nommer ;
Leur sombre inimitié ne fuit point mon visage ;
Je vois voler partout les cœurs à mon passage ! »
1365 Tels étaient vos plaisirs. Quel changement, ô Dieux !
Le sang le plus abject vous était précieux.
Un jour, il m'en souvient, le sénat équitable
Vous pressait de souscrire à la mort d'un coupable ;
Vous résistiez, Seigneur, à leur sévérité :
1370 Votre cœur s'accusait de trop de cruauté ;
Et plaignant les malheurs attachés à l'Empire,
« Je voudrais, disiez-vous, ne savoir pas écrire ».
Non, ou vous me croirez, ou bien de ce malheur
Ma mort m'épargnera la vue et la douleur.
1375 On ne me verra point survivre à votre gloire
Si vous allez commettre une action si noire.
*Il se jette à genoux.*
Me voilà prêt, Seigneur : avant que de partir,
Faites percer ce cœur qui n'y peut consentir ;
1380 Appelez les cruels qui vous l'ont inspirée ;
Qu'ils viennent essayer leur main mal assurée.
Mais je vois que mes pleurs touchent mon empereur ;
Je vois que sa vertu frémit de leur fureur.
Ne perdez point de temps, nommez-moi les perfides
1385 Qui vous osent donner ces conseils parricides[1].
Appelez votre frère, oubliez dans ses bras…

### NÉRON

Ah ! que demandez-vous ?

### BURRHUS

                    Non, il ne vous hait pas,
Seigneur ; on le trahit : je sais son innocence ;

---

1. **Parricides :** meurtriers des membres de leur famille.

Je vous réponds pour lui de son obéissance.
J'y cours. Je vais presser un entretien si doux.                    1390

### NÉRON

Dans mon appartement qu'il m'attende avec vous.

## Scène 4 NÉRON, NARCISSE

### NARCISSE

Seigneur, j'ai tout prévu pour une mort si juste.
Le poison est tout prêt. La fameuse Locuste [1]
A redoublé pour moi ses soins officieux :
Elle a fait expirer un esclave à mes yeux ;                          1395
Et le fer est moins prompt pour trancher une vie
Que le nouveau poison que sa main me confie.

### NÉRON

Narcisse, c'est assez ; je reconnais ce soin,
Et ne souhaite pas que vous alliez plus loin.

### NARCISSE

Quoi ? pour Britannicus votre haine affaiblie                        1400
Me défend...

### NÉRON

      Oui, Narcisse, on nous réconcilie.

### NARCISSE

Je me garderai bien de vous en détourner,
Seigneur ; mais il s'est vu tantôt emprisonner :
Cette offense en son cœur sera longtemps nouvelle.
Il n'est point de secrets que le temps ne révèle :                   1405
Il saura que ma main lui devait présenter
Un poison que votre ordre avait fait apprêter.
Les Dieux de ce dessein puissent-ils le distraire !
Mais peut-être il fera ce que vous n'osez faire.

---

1. **Locuste :** célèbre empoisonneuse romaine.

**NÉRON**

1410 On répond de son cœur ; et je vaincrai le mien.

**NARCISSE**

Et l'hymen de Junie en est-il le lien ?
Seigneur, lui faites-vous encore ce sacrifice ?

**NÉRON**

C'est prendre trop de soin. Quoi qu'il en soit, Narcisse,
Je ne le compte plus parmi mes ennemis.

**NARCISSE**

1415 Agrippine, Seigneur, se l'était bien promis :
Elle a repris sur vous son souverain empire.

**NÉRON**

Quoi donc ? Qu'a-t-elle dit ? Et que voulez-vous dire ?

**NARCISSE**

Elle s'en est vantée assez publiquement.

**NÉRON**

De quoi ?

**NARCISSE**

Qu'elle n'avait qu'à vous voir un moment :
1420 Qu'à tout ce grand éclat, à ce courroux funeste
On verrait succéder un silence modeste ;
Que vous-même à la paix souscririez le premier,
Heureux que sa bonté daignât tout oublier.

**NÉRON**

Mais, Narcisse, dis-moi, que veux-tu que je fasse ?
1425 Je n'ai que trop de pente à punir son audace ;
Et si je m'en croyais, ce triomphe indiscret
Serait bientôt suivi d'un éternel regret.
Mais de tout l'univers quel sera le langage ?
Sur les pas des tyrans veux-tu que je m'engage,
1430 Et que Rome, effaçant tant de titres d'honneur,
Me laisse pour tous noms celui d'empoisonneur ?
Ils mettront ma vengeance au rang des parricides.

**NARCISSE**

Et prenez-vous, Seigneur, leurs caprices pour guides ?
Avez-vous prétendu qu'ils se tairaient toujours ?

Est-ce à vous de prêter l'oreille à leurs discours ?     1435
De vos propres désirs perdrez-vous la mémoire ?
Et serez-vous le seul que vous n'oserez croire ?
Mais, Seigneur, les Romains ne vous sont pas connus.
Non, non, dans leurs discours ils sont plus retenus.
Tant de précaution affaiblit votre règne :     1440
Ils croiront, en effet, mériter qu'on les craigne.
Au joug depuis longtemps ils se sont façonnés :
Ils adorent la main qui les tient enchaînés.
Vous les verrez toujours ardents à vous complaire.
Leur prompte servitude a fatigué Tibère.     1445
Moi-même, revêtu d'un pouvoir emprunté,
Que je reçus de Claude avec la liberté,
J'ai cent fois, dans le cours de ma gloire passée,
Tenté leur patience, et ne l'ai point lassée.
D'un empoisonnement vous craignez la noirceur ?     1450
Faites périr le frère, abandonnez la sœur :
Rome, sur ses autels prodiguant les victimes,
Fussent-ils innocents, leur trouvera des crimes ;
Vous verrez mettre au rang des jours infortunés
Ceux où jadis la sœur et le frère sont nés.     1455

### NÉRON

Narcisse, encore un coup, je ne puis l'entreprendre.
J'ai promis à Burrhus, il a fallu me rendre.
Je ne veux point encore, en lui manquant de foi,
Donner à sa vertu des armes contre moi.
J'oppose à ses raisons un courage inutile :     1460
Je ne l'écoute point avec un cœur tranquille.

### NARCISSE

Burrhus ne pense pas, Seigneur, tout ce qu'il dit :
Son adroite vertu ménage son crédit ;
Ou plutôt ils n'ont tous qu'une même pensée :
Ils verraient par ce coup leur puissance abaissée ;     1465
Vous seriez libre alors, Seigneur ; et devant vous
Ces maîtres orgueilleux fléchiraient comme nous.
Quoi donc ? ignorez-vous tout ce qu'ils osent dire ?
« Néron, s'ils en sont crus, n'est point né pour l'Empire ;

1470 Il ne dit, il ne fait que ce qu'on lui prescrit :
Burrhus conduit son cœur, Sénèque son esprit.
Pour toute ambition, pour vertu singulière,
Il excelle à conduire un char dans la carrière,
À disputer des prix indignes de ses mains,
1475 À se donner lui-même en spectacle aux Romains,
À venir prodiguer sa voix sur un théâtre,
À réciter des chants qu'il veut qu'on idolâtre,
Tandis que des soldats, de moments en moments,
Vont arracher pour lui les applaudissements. »
1480 Ah ! ne voulez-vous pas les forcer à se taire ?

### NÉRON

Viens, Narcisse. Allons voir ce que nous devons faire.

# Clefs d'analyse

## Compréhension

### La progression dramatique

• Montrer que la conciliation de Néron avec Agrippine était un mensonge et une ruse (IV, 3).
• Relever le vocabulaire de la mort violente dans les premiers vers de la scène 4.

## Réflexion

### Le pouvoir et ses représentations

• Analyser les différentes conceptions du pouvoir que proposent et défendent Burrhus et Néron (IV, 3).
• Comparer les discours de Burrhus (IV, 3) et de Narcisse (IV, 4).

### Les motivations profondes

• Commenter le vers 1324 (IV, 3).
• Analyser comment Narcisse éveille les instincts de Néron et le manipule (IV, 4).

---

**À retenir :**

*Le personnage de Néron est omniprésent dans l'acte IV, et ses trois entretiens successifs révèlent sa véritable nature en le libérant de ses liens antérieurs : face aux plaintes d'Agrippine, il assume en le dissimulant le rôle du fils ingrat et prêt au crime ; il échappe à l'enseignement de son maître Burrhus pour choisir le rôle de tyran ; enfin, entraîné par Narcisse, il s'apprête à se livrer à ses pulsions profondes de jouissance et de puissance. Tout est en place pour le dénouement tragique.*

# Synthèse Acte IV

## Révélation de la vraie nature de Néron

### Personnages

#### *La naissance du « monstre »*

L'habileté dramaturgique de Racine est d'avoir saisi dans ses commencements le personnage à la fois historique et archétypal de Néron, véritable figure de « l'Antéchrist » pour la tradition chrétienne, comme le rappelle l'ouvrage d'Ernest Renan (1873). L'acte IV, peu fertile en péripéties, se concentre sur les transformations intérieures successives du personnage et constitue de ce fait un moment particulièrement intense. Ce qui est intéressant, c'est qu'il n'y a pas réellement de suspense pour le spectateur ni pour le lecteur, puisqu'il n'appartient pas à l'auteur dramatique de changer les données de l'histoire (à moins d'écrire de la science-fiction) : Néron est un empereur criminel, même s'il n'est pas le seul, et jusqu'à l'époque contemporaine, que le pouvoir absolu ait ainsi perturbé. La tension dramatique vient plutôt de l'agencement des discours des personnages et des effets de bascule qu'ils provoquent.

### Langage

#### *Maîtrise et séduction, le rôle de Narcisse*

Le rôle de Narcisse dans ce quatrième acte est fondamental : il échappe à la simple fonction de confident et, par l'habileté de son langage, il entraîne Néron vers le dénouement tragique. Ses paroles insinuantes, chef-d'œuvre d'hypocrisie et de venin, opèrent la métamorphose de son maître. Aux hésitations successives dont ce dernier fait preuve, Narcisse répond par un lexique qui s'articule autour de la rumeur, des sous-entendus, des propos rapportés : il fait part ainsi à Néron du discours orgueilleux d'Agrippine qui vise à lui imposer le silence (v. 1414-1422) ; à l'inquiétude ultime de Néron sur sa propre gloire et sa

renommée future : (Mais de tout l'univers quel sera le langage ?),
le confident oppose un absolu mépris aussi bien des discours
des Romains : (Est-ce à vous de prêter l'oreille à leurs discours ?),
que de ceux de Burrhus : (Burrhus ne pense pas, Seigneur, tout
ce qu'il dit). Ainsi, dans les enjeux de l'acte IV, le langage maîtrisé
et séducteur de Narcisse a le pouvoir d'éveiller les instincts de
Néron et, finalement, de révéler sa vraie nature.

## Société

### L'empereur histrion et les ballets du Roi-Soleil

En 1670, à la demande de Mme de Montespan, Molière organise
des divertissements au château de Saint-Germain. C'est dans
la comédie-ballet des *Amants magnifiques* sur une musique de
Lully que Louis XIV danse en personne pour la dernière fois.
Certains critiques et historiens ont émis l'avis que le roi, lors de
la représentation de *Britannicus*, avait peut-être été frappé par
les paroles supposées des courtisans que Narcisse invente ou
feint de rapporter à Néron :

> « Pour toute ambition, pour vertu singulière,
> Il excelle à conduire un char dans la carrière,
> À disputer des prix indignes de ses mains,
> À se donner lui-même en spectacle aux Romains,
> À venir prodiguer sa voix sur un théâtre,
> À réciter des chants, qu'il veut qu'on idolâtre [...]. »
>
> (IV, 4, v. 1472-1477).

Peut-être tout simplement, dès 1670, les charges du gouvernement se faisaient-elles trop lourdes... Mais il est vrai que, dans
les premières années du règne, Louis XIV dansait avec passion
les ballets mis au point par le musicien Lully à son intention,
comme Néron nourrissait des ambitions de poète et d'acteur.
Sur cette passion de Louis XIV pour la danse, on peut voir le
film de Gérard Corbiau, *Le Roi danse* (2000), avec Benoît
Magimel.

# ACTE V

## Scène 1 Britannicus, Junie

### BRITANNICUS

Oui, Madame, Néron (qui l'aurait pu penser ?)
Dans son appartement m'attend pour m'embrasser.
Il y fait de sa cour inviter la jeunesse ;
1485 Il veut que d'un festin la pompe et l'allégresse
Confirment à leurs yeux la foi de nos serments,
Et réchauffent l'ardeur de nos embrassements,
Il éteint cet amour, source de tant de haine ;
Il vous fait de mon sort arbitre souveraine.
1490 Pour moi, quoique banni du rang de mes aïeux,
Quoique de leur dépouille il se pare à mes yeux,
Depuis qu'à mon amour cessant d'être contraire
Il semble me céder la gloire de vous plaire,
Mon cœur, je l'avoûrai, lui pardonne en secret,
1495 Et lui laisse le reste avec moins de regret.
Quoi ! je ne serai plus séparé de vos charmes ?
Quoi ! même en ce moment je puis voir sans alarmes
Ces yeux que n'ont émus ni soupirs ni terreurs,
Qui m'ont sacrifié l'Empire et l'Empereur ?
1500 Ah ! Madame. Mais quoi ? Quelle nouvelle crainte
Tient parmi mes transports votre joie en contrainte ?
D'où vient qu'en m'écoutant, vos yeux, vos tristes yeux
Avec de longs regards se tournent vers les cieux ?
Qu'est-ce que vous craignez ?

### JUNIE

Je l'ignore moi-même ;
1505 Mais je crains.

### BRITANNICUS

Vous m'aimez ?

### JUNIE

Hélas ! si je vous aime ?

**BRITANNICUS**

Néron ne trouble plus notre félicité.

**JUNIE**

Mais me répondrez-vous de sa sincérité ?

**BRITANNICUS**

Quoi ! vous le soupçonnez d'une haine couverte ?

**JUNIE**

Néron m'aimait tantôt, il jurait votre perte ;
Il me fuit, il vous cherche : un si grand changement          1510
Peut-il être, Seigneur, l'ouvrage d'un moment ?

**BRITANNICUS**

Cet ouvrage, Madame, est un coup d'Agrippine :
Elle a cru que ma perte entraînait sa ruine.
Grâce aux préventions de son esprit jaloux,
Nos plus grands ennemis ont combattu pour nous.          1515
Je m'en fie aux transports qu'elle m'a fait paraître ;
Je m'en fie à Burrhus ; j'en crois même son maître :
Je crois qu'à mon exemple, impuissant à trahir,
Il hait à cœur ouvert, ou cesse de haïr.

**JUNIE**

Seigneur, ne jugez pas de son cœur par le vôtre :          1520
Sur des pas différents vous marchez l'un et l'autre.
Je ne connais Néron et la cour que d'un jour ;
Mais (si je l'ose dire), hélas ! dans cette cour
Combien tout ce qu'on dit est loin de ce qu'on pense !
Que la bouche et le cœur sont peu d'intelligence !          1525
Avec combien de joie on y trahit sa foi !
Quel séjour étranger et pour vous et pour moi !

**BRITANNICUS**

Mais que son amitié soit véritable ou feinte,
Si vous craignez Néron, lui-même est-il sans crainte ?
Non, non, il n'ira point, par un lâche attentat,          1530
Soulever contre lui le peuple et le sénat.
Que dis-je ? il reconnaît sa dernière injustice.
Ses remords ont paru, même aux yeux de Narcisse.
Ah ! s'il vous avait dit, ma Princesse, à quel point...

JUNIE

1535 Mais Narcisse, Seigneur, ne vous trahit-il point ?

BRITANNICUS

Et pourquoi voulez-vous que mon cœur s'en défie ?

JUNIE

Et que sais-je ? Il y va, Seigneur, de votre vie.
Tout m'est suspect : je crains que tout ne soit séduit ;
Je crains Néron ; je crains le malheur qui me suit.
1540 D'un noir pressentiment malgré moi prévenue,
Je vous laisse à regret éloigner de ma vue.
Hélas ! si cette paix dont vous vous repaissez
Couvrait contre vos jours quelque piège dressé !
Si Néron, irrité de notre intelligence,
1545 Avait choisi la nuit pour cacher sa vengeance !
S'il préparait ses coups, tandis que je vous vois !
Et si je vous parlais pour la dernière fois !
Ah ! Prince !

BRITANNICUS

Vous pleurez ! Ah ! ma chère Princesse !
Et pour moi jusque-là votre cœur s'intéresse ?
1550 Quoi ! Madame, en un jour où plein de sa grandeur,
Néron croit éblouir vos yeux de sa splendeur,
Dans des lieux où chacun me fuit et le révère,
Aux pompes de sa cour préférer ma misère !
Quoi ? dans ce même jour et dans ces mêmes lieux,
1555 Refuser un empire, et pleurer à mes yeux !
Mais, Madame, arrêtez ces précieuses larmes :
Mon retour va bientôt dissiper vos alarmes.
Je me rendrais suspect par un plus long séjour.
Adieu : je vais, le cœur tout plein de mon amour,
1560 Au milieu des transports d'une aveugle jeunesse,
Ne voir, n'entretenir que ma belle Princesse.
Adieu.

JUNIE

Prince...

**BRITANNICUS**

On m'attend, Madame, il faut partir.

**JUNIE**

Mais du moins attendez qu'on vous vienne avertir.

## Scène 2 AGRIPPINE, BRITANNICUS, JUNIE

**AGRIPPINE**

Prince, que tardez-vous ? Partez en diligence ;
Néron impatient se plaint de votre absence.                 1565
La joie et le plaisir de tous les conviés
Attend pour éclater que vous vous embrassiez.
Ne faites point languir une si juste envie :
Allez. Et nous, Madame, allons chez Octavie.

**BRITANNICUS**

Allez, belle Junie, et d'un esprit content                  1570
Hâtez-vous d'embrasser ma sœur qui vous attend.
Dès que je le pourrai, je reviens sur vos traces,
Madame ; et de vos soins j'irai vous rendre grâces.

## Scène 3 AGRIPPINE, JUNIE

**AGRIPPINE**

Madame, ou je me trompe, ou durant vos adieux
Quelques pleurs répandus ont obscurci vos yeux.            1575
Puis-je savoir quel trouble a formé ce nuage ?
Doutez-vous d'une paix dont je fais mon ouvrage ?

**JUNIE**

Après tous les ennuis que ce jour m'a coûtés,
Ai-je pu rassurer mes esprits agités ?

1580 Hélas ! à peine encor je conçois ce miracle.
Quand même à vos bontés je craindrais quelque obstacle,
Le changement, Madame, est commun à la cour ;
Et toujours quelque crainte accompagne l'amour.

AGRIPPINE

Il suffit. J'ai parlé, tout a changé de face.
1585 Mes soins à vos soupçons ne laissent point de place.
Je réponds d'une paix jurée entre mes mains :
Néron m'en a donné des gages trop certains.
Ah ! si vous aviez vu par combien de caresses
Il m'a renouvelé la foi de ses promesses !
1590 Par quels embrassements il vient de m'arrêter !
Ses bras, dans nos adieux, ne pouvaient me quitter ;
Sa facile bonté, sur son front répandue,
Jusqu'aux moindres secrets est d'abord descendue.
Il s'épanchait en fils, qui vient en liberté
1595 Dans le sein de sa mère oublier sa fierté.
Mais bientôt, reprenant un visage sévère,
Tel que d'un empereur qui consulte sa mère,
Sa confidence auguste a mis entre mes mains
Des secrets d'où dépend le destin des humains.
1600 Non, il le faut ici confesser à sa gloire,
Son cœur n'enferme point une malice noire ;
Et nos seuls ennemis, altérant sa bonté,
Abusaient contre nous de sa facilité.
Mais enfin, à son tour, leur puissance décline ;
1605 Rome encore une fois va connaître Agrippine :
Déjà de ma faveur on adore le bruit.
Cependant en ces lieux n'attendons pas la nuit.
Passons chez Octavie, et donnons-lui le reste
D'un jour autant heureux que je l'ai cru funeste.
1610 Mais qu'est-ce que j'entends ? Quel tumulte confus ?
Que peut-on faire ?

JUNIE

Ô ciel, sauvez Britannicus !

# Clefs d'analyse

Acte V, scènes 1 à 3.

## Compréhension

### ▌ L'aveuglement

- Relever le champ lexical de la confiance dans les propos de Britannicus (V, 1).
- Analyser la réponse de Junie et le sentiment différent qu'elle suggère (V, 1).
- Relever dans la tirade d'Agrippine le vocabulaire de l'orgueil (V, 2).

## Réflexion

### ▌ La double énonciation

- Comparer les propos de Néron à la fin de l'acte IV et ceux de ses futures victimes au début de l'acte V.

### ▌ Le dénouement tragique

- Analyser l'effet tragique de l'aveuglement de Britannicus et d'Agrippine.

### À retenir :

*Par le jeu de la double énonciation et les effets de connivence établis entre spectateur (ou lecteur) et personnage, le spectateur, au début de l'acte V, en sait plus sur les véritables intentions de Néron que les autres personnages de la tragédie, ce qui donne aux premières scènes de l'acte V une tension dramatique très forte.*

## Scène 4 AGRIPPINE, JUNIE, BURRHUS

**AGRIPPINE**
Burrhus, où courez-vous ? Arrêtez. Que veut dire...

**BURRHUS**
Madame, c'en est fait, Britannicus expire.

**JUNIE**
Ah ! mon Prince.

**AGRIPPINE**
Il expire ?

**BURRHUS**
Ou plutôt il est mort,

1615 Madame.

**JUNIE**
Pardonnez, Madame, à ce transport.
Je vais le secourir, si je puis, ou le suivre.

## Scène 5 AGRIPPINE, BURRHUS

**AGRIPPINE**
Quel attentat, Burrhus !

**BURRHUS**
Je n'y pourrai survivre,
Madame : il faut quitter la cour et l'Empereur.

**AGRIPPINE**
Quoi ? du sang de son frère il n'a point eu d'horreur ?

**BURRHUS**
1620 Ce dessein s'est conduit avec plus de mystère.
À peine l'Empereur a vu venir son frère,
Il se lève, il l'embrasse, on se tait, et soudain

César prend le premier une coupe à la main :
« Pour achever ce jour sous de meilleurs auspices,
Ma main de cette coupe épanche les prémices[1],                    1625
Dit-il ; Dieux, que j'appelle à cette effusion,
Venez favoriser notre réunion. »
Par les mêmes serments Britannicus se lie ;
La coupe dans ses mains par Narcisse est remplie ;
Mais ses lèvres à peine en ont touché les bords,                  1630
Le fer ne produit point de si puissants efforts,
Madame : la lumière à ses yeux est ravie,
Il tombe sur son lit sans chaleur et sans vie.
Jugez combien ce coup frappe tous les esprits :
La moitié s'épouvante et sort avec des cris ;                     1635
Mais ceux qui de la cour ont un plus long usage
Sur les yeux de César composent leur visage.
Cependant sur son lit il demeure penché ;
D'aucun étonnement il ne paraît touché :
« Ce mal[2] dont vous craignez, dit-il, la violence               1640
A souvent sans péril attaqué son enfance. »
Narcisse veut en vain affecter quelque ennui,
Et sa perfide joie éclate malgré lui.
Pour moi, dût l'Empereur punir ma hardiesse,
D'une odieuse cour j'ai traversé la presse ;                      1645
Et j'allais, accablé de cet assassinat,
Pleurer Britannicus, César et tout l'État.

### AGRIPPINE

Les voici. Vous verrez si c'est moi qui l'inspire.

---

1. **Prémices :** mot d'origine latine qui signifie « le premier produit de la terre ou du bétail », que l'on offrait aux dieux ; ici, les premières gouttes de vin.
2. **Ce mal :** Britannicus souffrait d'épilepsie.

# Scène 6 AGRIPPINE, NÉRON, BURRHUS, NARCISSE

### NÉRON, *voyant Agrippine*

Dieux !

### AGRIPPINE

Arrêtez, Néron. J'ai deux mots à vous dire.
1650 Britannicus est mort, je reconnais les coups ;
Je connais l'assassin.

### NÉRON

Et qui, Madame ?

### AGRIPPINE

Vous.

### NÉRON

Moi ! Voilà les soupçons dont vous êtes capable.
Il n'est point de malheurs dont je ne sois coupable ;
Et si l'on veut, Madame, écouter vos discours,
1655 Ma main de Claude même aura tranché les jours.
Son fils vous était cher : sa mort peut vous confondre ;
Mais des coups du destin je ne puis pas répondre.

### AGRIPPINE

Non, non, Britannicus est mort empoisonné :
Narcisse a fait le coup, vous l'avez ordonné.

### NÉRON

1660 Madame ! mais qui peut vous tenir ce langage ?

### NARCISSE

Hé ! Seigneur, ce soupçon vous fait-il tant d'outrage ?
Britannicus, Madame, eut des desseins secrets
Qui vous auraient coûté de plus justes regrets.
Il aspirait plus loin qu'à l'hymen de Junie :
1665 De vos propres bontés il vous aurait punie.
Il vous trompait vous-même ; et son cœur offensé
Prétendait tôt ou tard rappeler le passé.
Soit donc que, malgré vous, le sort vous ait servie,

Soit qu'instruit des complots qui menaçaient sa vie,
Sur ma fidélité César s'en soit remis, 1670
Laissez les pleurs, Madame, à vos seuls ennemis.
Qu'ils mettent ce malheur au rang des plus sinistres ;
Mais vous...

### AGRIPPINE
Poursuis, Néron, avec de tels ministres.
Par des faits glorieux tu te vas signaler.
Poursuis. Tu n'as pas fait ce pas pour reculer. 1675
Ta main a commencé par le sang de ton frère ;
Je prévois que tes coups viendront jusqu'à ta mère.
Dans le fond de ton cœur je sais que tu me hais ;
Tu voudras t'affranchir du joug de mes bienfaits.
Mais je veux que ma mort te soit même inutile. 1680
Ne crois pas qu'en mourant je te laisse tranquille.
Rome, ce ciel, ce jour que tu reçus de moi,
Partout, à tout moment, m'offriront devant toi.
Tes remords te suivront comme autant de furies[1] ;
Tu croiras les calmer par d'autres barbaries ; 1685
Ta fureur, s'irritant soi-même dans son cours,
D'un sang toujours nouveau marquera tous tes jours.
Mais j'espère qu'enfin le ciel, las de tes crimes,
Ajoutera ta perte à tant d'autres victimes ;
Qu'après t'être couvert de leur sang et du mien, 1690
Tu te verras forcé de répandre le tien[2] ;
Et ton nom paraîtra, dans la race future,
Aux plus cruels tyrans une cruelle injure.
Voilà ce que mon cœur se Ìprésage de toi.
Adieu : tu peux sortir. 1695

### NÉRON
Narcisse, suivez-moi.

---

1. **Furies :** terribles divinités de la Vengeance.
2. **Tu te verras.... le tien :** annonce prophétique du suicide de Néron en
   68 apr. J.-C.

Lekain dans le rôle de Néron et Brizard dans le rôle de Burrhus.
Gouache de Fesch et Whirsker, XVIIIe.

# Clefs d'analyse

Acte V, scènes 4 à 6.

## Compréhension

### ▌ *Le récit au théâtre*

- Observer les procédés qui donnent du relief à la scène de l'empoisonnement racontée par Burrhus (V, 5).
- Relever les éléments des portraits de Néron et de Narcisse dans le discours de Burrhus (V, 5).

## Réflexion

### ▌ *La prédiction d'Agrippine*

- Analyser les temps verbaux dans la dernière tirade d'Agrippine (V, 6).
- Montrer que le personnage de Néron tel que le dépeint Agrippine est proche de la réalité historique.

## À retenir :

*« Une des règles du théâtre est de ne mettre en récit que les choses qui ne se peuvent passer en action », affirme Racine dans la première préface de Britannicus. Ainsi est-ce moins la bienséance qui n'autorisait pas le dramaturge à montrer l'empoisonnement du héros que la difficulté technique d'organiser sur scène les fastes d'un banquet romain. Traditionnellement, le récit du dénouement raconte la mort du héros. C'est le cas en effet dans cette tragédie, mais Racine saisit la narration de Burrhus pour peindre avec acuité le caractère impitoyable de Néron et les terribles contraintes de la vie de cour.*

# Scène 7 Agrippine, Burrhus

**AGRIPPINE**

Ah ciel ! de mes soupçons quelle était l'injustice !
Je condamnais Burrhus, pour écouter Narcisse.
Burrhus, avez-vous vu quels regards furieux
Néron en me quittant m'a laissés pour adieux ?
1700 C'en est fait : le cruel n'a plus rien qui l'arrête ;
Le coup qu'on m'a prédit va tomber sur ma tête.
Il vous accablera vous-même à votre tour.

**BURRHUS**

Ah ! Madame, pour moi j'ai vécu trop d'un jour.
Plût au ciel que sa main, heureusement cruelle,
1705 Eût fait sur moi l'essai de sa fureur nouvelle !
Qu'il ne m'eût pas donné, par ce triste attentat,
Un gage trop certain des malheurs de l'État !
Son crime seul n'est pas ce qui me désespère ;
Sa jalousie a pu l'armer contre son frère ;
1710 Mais s'il vous faut, Madame, expliquer ma douleur,
Néron l'a vu mourir sans changer de couleur.
Ses yeux indifférents ont déjà la constance
D'un tyran dans le crime endurci dès l'enfance.
Qu'il achève, Madame, et qu'il fasse périr
1715 Un ministre importun, qui ne le peut souffrir.
Hélas ! loin de vouloir éviter sa colère,
La plus soudaine mort me sera la plus chère.

# Scène 8 ALBINE, AGRIPPINE, BURRHUS

### ALBINE

Ah ! Madame, ah ! Seigneur, courez vers l'Empereur :
Venez sauver César de sa propre fureur.
Il se voit pour jamais séparé de Junie.                    1720

### AGRIPPINE

Quoi ? Junie elle-même a terminé sa vie ?

### ALBINE

Pour accabler César d'un éternel ennui,
Madame, sans mourir, elle est morte pour lui.
Vous savez de ces lieux comme elle s'est ravie :
Elle a feint de passer chez la triste Octavie ;            1725
Mais bientôt elle a pris des chemins écartés,
Où mes yeux ont suivi ses pas précipités.
Des portes du palais elle sort éperdue.
D'abord elle a d'Auguste aperçu la statue ;
Et mouillant de ses pleurs le marbre de ses pieds,         1730
Que de ses bras pressants elle tenait liés :
« Prince, par ces genoux, dit-elle, que j'embrasse,
Protège en ce moment le reste de ta race.
Rome dans ton palais vient de voir immoler
Le seul de tes neveux¹ qui te pût ressembler.              1735
On veut après sa mort que je lui sois parjure ;
Mais pour lui conserver une foi toujours pure,
Prince, je me dévoue à ces Dieux immortels
Dont ta vertu t'a fait partager les autels. »
Le peuple cependant, que ce spectacle étonne,             1740
Vole de toutes parts, se presse, l'environne,
S'attendrit à ses pleurs, et plaignant son ennui,
D'une commune voix la prend sous son appui.
Ils la mènent au temple, où depuis tant d'années

---

1. **Neveux :** descendants.

1745 Au culte des autels nos vierges destinées
Gardent fidèlement le dépôt précieux
Du feu toujours ardent qui brûle pour nos Dieux.
César les voit partir sans oser les distraire.
Narcisse, plus hardi, s'empresse pour lui plaire.
1750 Il vole vers Junie, et sans s'épouvanter,
D'une profane main commence à l'arrêter.
De mille coups mortels son audace est punie ;
Son infidèle sang rejaillit sur Junie.
César, de tant d'objets en même temps frappé,
1755 Le laisse entre les mains qui l'ont enveloppé.
Il rentre. Chacun fuit son silence farouche.
Le seul nom de Junie échappe de sa bouche.
Il marche sans dessein ; ses yeux mal assurés
N'osent lever au ciel leurs regards égarés ;
1760 Et l'on craint, si la nuit jointe à la solitude
Vient de son désespoir aigrir l'inquiétude,
Si vous l'abandonnez plus longtemps sans secours,
Que sa douleur bientôt n'attente sur ses jours.
Le temps presse : courez. Il ne faut qu'un caprice,
1765 Il se perdrait, Madame.

### AGRIPPINE

Il se ferait justice.
Mais, Burrhus, allons voir jusqu'où vont ses transports.
Voyons quel changement produiront ses remords,
S'il voudra désormais suivre d'autres maximes.

### BURRHUS

Plût aux Dieux que ce fût le dernier de ses crimes !

# Clefs d'analyse

**Acte V, scènes 7 et 8.**

## Compréhension

### Un dénouement prolongé

- Relever dans les deux scènes finales les informations sur le sort des différents protagonistes.
- Montrer qu'Agrippine et Burrhus sont conscients du danger qui les guette (V, 7).

### Le récit d'Albine

- Montrer les étapes successives de la fuite de Junie (V, 8).
- Observer la scène de lynchage de Narcisse (V, 8).

## Réflexion

### Tragédie et histoire

- Analyser l'usage que Racine fait des allusions historiques (V, 7, en particulier aux vers 1700-1701).
- Analyser et discuter la description de la folie grandissante de Néron (V, 8).

---

**À retenir :**

*Des critiques de l'époque de Racine lui ont fait grief du fait qu'il n'ait pas, contrairement à la règle, achevé sa tragédie à la mort de Britannicus, le héros tragique, et qu'il ait trouvé bon de prolonger la « catastrophe » en ajoutant deux scènes ultimes de dénouement : Agrippine et Burrhus évoquant de manière prémonitoire leur mort annoncée ; Albine racontant la retraite de Junie chez les Vestales et la mort violente du traître Narcisse lynché par la foule.*

*Le dramaturge se justifie de cette fin en affirmant que l'action d'une pièce n'est achevée que lorsqu'on sait « en quelle situation elle laisse » tous les personnages.*

# Synthèse Acte V

## Une tragédie chrétienne ?

### Personnages

#### De l'histoire à la tragédie

Racine l'affirme à maintes reprises : toute sa tragédie de *Britannicus*, il la doit à Tacite, « le plus grand peintre de l'Antiquité », dont il reprend et traduit dans sa seconde préface de nombreux passages. Toutefois, bien que situé du côté des Anciens dans la querelle des Anciens et des Modernes, le dramaturge ne cesse de transformer, de supprimer et d'inventer, en particulier, des personnages. Il omet par exemple de faire intervenir Sénèque et laisse à Burrhus le soin de l'évoquer « occupé loin de Rome » (v. 805), sans doute parce que la prose du philosophe stoïcien résonnait trop aux oreilles du public cultivé de l'époque. Il transforme le personnage de Narcisse, fidèle serviteur, selon Tacite, de Claude et de Britannicus jusqu'à la mort (retardée de deux ans dans la tragédie, comme Racine le rappelle dans la première préface), en un traître ignominieux. Enfin, il crée Junie, certes à partir d'éléments épars dans les *Annales*, peut-être Julia Silana, peut-être Julia Calvina, mais aussi sans doute de sa propre imagination, qui l'amène à inventer ce personnage féminin émouvant et courageux.

### Langage

#### Les effets du récit au théâtre

*Britannicus* ne comporte guère que six personnages, sept si l'on inclut Albine, la confidente d'Agrippine, dans cette catégorie. Mais les discours des personnages, les récits développés et de multiples allusions amènent sur la scène théâtrale une foule nombreuse, plus présente et plus colorée que dans n'importe quelle production hollywoodienne : les camps romains et ses légions, le Forum, le peuple et le sénat de

# Synthèse Acte V

Rome, le Palatin et ses fastueux banquets, les sacrifices aux dieux, le temple des Vestales, et même les bas-fonds de Rome à travers l'évocation de la fameuse empoisonneuse Locuste. « On voit, écrit le critique Léo Spitzer, un obscur grouillement de complices derrière Narcisse debout sur la scène. »

## Société

> *Le couvent des Vestales :*
> *une tragédie chrétienne avant l'heure*

Dans son compte rendu de la première représentation de *Britannicus*, Edmé Boursault évoque les réactions de certains spectateurs à la fin du spectacle : « [Ils] trouvèrent la nouveauté de la catastrophe si étonnante, et furent si touchés de voir Junie, après l'empoisonnement de Britannicus, s'aller rendre religieuse de l'ordre de Vesta, qu'ils auraient nommé cet ouvrage une tragédie chrétienne. » Il est vrai que cette fin peut apparaître décalée, voire anachronique, dans une tragédie qui s'appuie sur des faits historiques attestés, même si les personnages exacerbés d'Agrippine et de Néron s'élèvent par leur démesure à la dimension de mythes littéraires. En fait, la décision de retraite de Junie correspond à une réalité sociale du XVIIe siècle : que l'on songe à Mlle de La Vallière, la première favorite du roi, qui se retira au Carmel pour expier ce qu'elle considérait comme ses fautes, ou, dans le domaine littéraire, à la princesse de Clèves, l'héroïne de Mme de La Fayette, qui, elle aussi, choisit d'achever sa vie au couvent. Enfin, il faut rappeler que Racine revint au théâtre à la demande de Mme de Maintenon pour écrire deux « tragédies chrétiennes », *Esther* et *Athalie*.

Frontispice de Britannicus. Gravure de François Chauveau.

# POUR
# APPROFONDIR

# Genre, action, personnages

## Genre et registres

### La tragédie classique selon L'Art poétique de Boileau

Dès la Renaissance, les humanistes italiens ont posé la question des règles de la tragédie en s'appuyant sur la lecture des traités d'Aristote et d'Horace. Cette réflexion arrive en France, au début du XVIIᵉ siècle, où se définit peu à peu le classicisme. La vraisemblance et la bienséance s'inscrivent au cœur de la doctrine classique, afin que soit rendue possible l'adhésion du spectateur, dont la raison, le goût et la morale ne doivent pas être heurtés. L'exigence de vraisemblable conduit les dramaturges à représenter une action qui doit tendre à se rapprocher des conditions réelles de la représentation théâtrale et entraîne, par conséquent, la règle des trois unités d'action, de temps et de lieu, pour faire accepter l'illusion théâtrale. De même, les personnages tragiques doivent présenter un comportement et des caractéristiques conformes à leur rang, leur psychologie et leur situation dans la pièce. Le vraisemblable ressortit au domaine de la raison. Parallèlement, la règle de bienséance, qui consiste à ne pas représenter sur scène des situations immorales ou choquantes, relève d'une exigence éthique : la tragédie vise à mettre en scène des valeurs morales afin d'édifier le spectateur.

C'est l'admirateur et ami de Racine, Nicolas Boileau, qui, en 1674, énonce ces règles dans un traité intitulé *L'Art poétique*. En fait, les critères normatifs et les jugements esthétiques que propose le théoricien, dans le chant III (v. 43-56) de son ouvrage, semblent convenir parfaitement à la tragédie racinienne dont ils définissent en quelque sorte a posteriori les principales caractéristiques :
– L'exigence de raison et de rigueur dramatique :
« *Mais nous, que la raison à ses règles engage,*
*Nous voulons qu'avec art l'action se ménage ; »*

# Genre, action, personnages

– La règle des trois unités :
« *Qu'en un lieu, qu'en un jour, un seul fait accompli*
*Tienne jusqu'à la fin le théâtre rempli.* »
– L'exigence de vraisemblable :
« *Jamais au spectateur n'offrez rien d'incroyable :*
*Le vrai peut quelquefois n'être pas vraisemblable.*
*Une merveille absurde est pour moi sans appas :*
*L'esprit n'est point ému de ce qu'il ne croit pas.* »
– La nécessité du récit au théâtre en relation avec la bien-séance :
« *Ce qu'on ne doit point voir, qu'un récit nous l'expose :*
*Les yeux en le voyant saisiront mieux la chose ;*
*Mais il est des objets que l'art judicieux*
*Doit offrir à l'oreille et reculer des yeux.* »
– La volonté d'émouvoir le public selon les principes de la tragédie définie par Aristote :
« *Que dans tous vos discours la passion émue*
*Aille chercher le cœur, l'échauffe et le remue.*
*Si d'un beau mouvement l'agréable fureur*
*Souvent ne nous remplit d'une douce « terreur »,*
*Ou n'excite en notre âme une « pitié » charmante,*
*En vain vous étalez une scène savante [...].* »

## Britannicus, une double origine générique

À la différence d'un auteur comme Corneille, qui entretient avec la théorie un rapport sinon ouvertement conflictuel, du moins ambigu, les conceptions esthétiques et morales de Racine s'adaptent exactement aux exigences d'une écriture tragique, épurée à l'extrême. En 1669, avec *Britannicus*, Racine puise à deux sources de création tragique. D'une part, et pour rivaliser avec lui, à la grande tragédie politique de Corneille, dont les leçons l'amènent à chercher dans l'histoire romaine ses sujets de tragédie, pour que la vérité historique oblige le spectateur à reconnaître la vraisemblance des personnages et de l'action proposée. Mais, à la différence de Corneille, qui mettait le conflit politique au centre même de ses tragédies historiques, Racine l'utilise pour exacerber les passions et les contradictions du désir. D'autre part, en bon helléniste, il revient aux sources authentiques du genre, la tragédie grecque, et, plus spécifiquement, la tragédie d'Euripide, dont toute l'œuvre peut se définir, selon Jacqueline de Romilly, comme « la tragédie des passions » sous la lumière de la fatalité.

## Le registre tragique : la fatalité

Le tragique naît du choc d'un individu qui se croit libre et d'une puissance supérieure qui semble le dominer. Cette façon de faire percevoir le monde met en jeu une fatalité inexorable qui s'abat sur des personnages impuissants, devenus les jouets de forces qui les dépassent. L'objectif affirmé est de susciter, selon les théories d'Aristote, la terreur et la pitié, seules émotions pouvant, grâce à la médiation du spectacle, aider à la purgation des passions. Le registre tragique exprime la prise de conscience par l'homme des forces qui pèsent sur lui, le dépassent et le dominent. Contrairement aux pièces à sujet mythologique, dans lesquelles la puissance divine représente métaphoriquement l'élément fatal qui écrase les êtres humains (l'oracle d'Apollon pour Œdipe, Vénus pour Phèdre, par exemple), l'originalité de *Britannicus* consiste dans le fait que la fatalité n'est pas représentée par une force transcendante contre laquelle il semble impossible de lutter, mais par un personnage tangible, Néron, que les autres personnages croient pouvoir contrer, manipuler, émouvoir... Le tragique, dans la tragédie de *Britannicus*, se situe à hauteur d'homme, même si les principaux thèmes tragiques y sont à l'œuvre : l'héroïsme, la vengeance, la fatalité et la mort comme issue immédiate ou annoncée. En fait, cette psychologie tragique est fondée sur un profond pessimisme à l'égard de la condition humaine, que Racine doit probablement à son éducation janséniste qui insistait sur la misère de l'homme sans Dieu.

# Genre, action, personnages

## Autres registres : le pathétique et le lyrique

C'est sans doute ce sentiment d'abandon et ce pessimisme profond qui justifient la présence de nombreux éléments relevant du pathétique : en effet, ce mot issu du grec *pathos*, qui signifie « douleur, souffrance », introduit dans l'univers tragique une modalité particulière qui privilégie les émotions intenses. Destiné à apitoyer le spectateur, le registre pathétique utilise le lexique de la compassion, les termes évoquant la misère et la douleur, associés au vocabulaire de la tristesse et de la lamentation. Ce registre est naturellement dévolu à certains passages du discours du jeune héros que l'action dramatique conduit à la mort, aussi bien dans ses moments d'absurde confiance que de défiante lucidité, comme lorsqu'il s'interroge devant le traître Narcisse sur la loyauté de son entourage (I, 4, v. 333-338).

Le pathétique réside également dans l'inquiétude que Britannicus ressent pour l'innocente Junie, enlevée en pleine nuit par les soldats de Néron (I, 3, v. 290-294). Le registre pathétique use fréquemment d'exclamations, d'invocations et d'apostrophes invitant à la déploration, ainsi que d'images violentes destinées à frapper l'imagination de l'auditoire afin de l'émouvoir.

Agrippine, tout orgueilleuse et cruelle soit-elle, peut, elle aussi, provoquer chez le spectateur un sentiment de compassion, dû à sa condition de mère, mais aussi à l'expression de son aveuglement sur sa situation réelle (V, 3, v. 1583-1594).

Le sentiment amoureux fait entendre au cœur de la tragédie des accents lyriques, ce que l'on a coutume d'appeler la tendresse de Racine ; doucement élégiaque et nostalgique dans les échanges entre Junie et Britannicus, le registre lyrique ouvre, dans les mortelles intrigues de la cour de Néron, un espace de bonheur impossible : à l'expression de refus prononcée par Junie, « Quel séjour étranger et pour vous et pour moi ! », s'oppose en creux comme en un rêve éveillé un lieu d'où toute pompe est écartée, un lieu de solitude et de secret, un lieu de

135

bonheur paradoxalement défini par le lexique de l'« obscurité », de la « nuit profonde », lié à celui des pleurs et du malheur.

### ▌ Une réception nouvelle, des registres nouveaux ?

Très éloigné des conditions de la réception du théâtre au XVIIᵉ siècle, le critique Émile Faguet a, dans une anthologie publiée en 1895, comparé la tragédie de *Britannicus* à une sorte de drame bourgeois, en s'interrogeant essentiellement sur le dénouement dans lequel Néron, oublieux des affaires d'État qui l'ont tant occupé, sombre dans le désespoir d'avoir perdu Junie et songe à se suicider. Un tel dénouement, qui détourne la pitié vers le bourreau cruel, transformerait *Britannicus* en « une tragédie bourgeoise, une intrigue de cour, une comédie d'alcôve se terminant en drame à la Zola ».

Il est vrai que le changement d'époque, de mentalité et de réception, depuis l'époque classique, peut également induire une lecture décalée de la tragédie. En effet, l'exacerbation des caractères, leur forte stéréotypie, tels le monstre Néron, Agrippine aveuglée par un orgueil dément, la balourdise militaire de Burrhus, la figure de traître de Narcisse, caricaturée jusqu'à l'invraisemblable, la naïveté et l'innocence de Britannicus, qui confinent à l'aveuglement et même à la sottise, pourraient donner lieu à des lectures et des mises en scène bouffonnes, quelque chose comme « Ubu chez les Romains », en référence à *Ubu roi*, la pièce d'Alfred Jarry (1896).

## Action et personnages

### ▌ Les étapes de la tragédie classique

Les étapes de la tragédie classique obéissent à une structure traditionnelle fixe, faisant se succéder l'exposition, le nœud avec les diverses péripéties et, enfin, le dénouement. On peut remarquer l'équilibre, presque parfait quantitativement, des cinq actes qui constituent la tragédie. Toutefois, au même nombre de vers ne correspond pas le même nombre de scènes ; ainsi les actes I et IV ne contiennent que quatre scènes, alors que les trois autres actes oscillent entre huit et neuf scènes. Rappelons que, dans la dramaturgie classique française, une scène correspond à une entrée ou à une sortie de personnage. Cette simple observation indique par conséquent une plus grande agitation sur la scène et des entrées et sorties plus nombreuses de personnages aux actes II, III et V et, en revanche, un rythme plus statique dans les actes où le nombre des scènes est moindre, c'est-à-dire dans l'acte d'exposition et dans l'acte IV, moins riche en péripéties, mais qui représente une forte tension dramatique.

À l'acte I, en quatre scènes (358 vers), se déroule l'exposition. Dans un dialogue avec sa confidente Albine, Agrippine expose le sujet de la pièce et lance l'action : elle voit dans l'enlèvement de Junie (qu'elle avait promise à Britannicus), la nuit précédente, une tentative de son fils Néron pour secouer sa domination.

À l'acte II, en huit scènes (402 vers), le conflit tragique se prépare. Néron enferme Junie dans un piège sadique pour l'obliger à rompre avec Britannicus. Junie, effrayée, ne parvient pas à révéler la véritable situation à Britannicus. Néron est décidé à se venger de son rival.

À l'acte III, en neuf scènes (358 vers), plusieurs personnages tentent successivement de s'opposer à la tyrannie de Néron : Burrhus est inquiet devant les réactions de son élève ; Britannicus et Junie se retrouvent ; Agrippine propose une alliance à Britannicus. En réaction, Néron fait arrêter Britannicus et sa propre mère ; il menace Burrhus en se moquant de lui.

À l'acte IV, en quatre scènes (382 vers), les discours portent des marques d'espoir aussitôt déjouées : Agrippine croit rétablir la situation en reprenant le contrôle de Néron, mais celui-ci avoue à Burrhus qu'il s'agit d'une fausse réconciliation ; Burrhus croit faire revenir Néron à de meilleurs sentiments, mais Narcisse l'empêche de céder à ces diverses pressions et le persuade de tuer Britannicus.

À l'acte V, en huit scènes (288 vers), nous assistons, à travers les discours des autres personnages, à la naissance du « monstre » : Britannicus annonce à Junie, qui doute, que Néron est revenu à la raison, mais il meurt empoisonné au cours du banquet de réconciliation ; Junie parvient à se réfugier dans un lieu protecteur ; Agrippine et Burrhus imaginent déjà leur propre mort.

L'intrigue se déroule donc sur le rythme de secousses successives faites de montées d'espoir et de retombées dramatiques. L'action ne s'achève pas exactement à la fin de l'acte V, mais se prolonge vers l'avenir, dans les propos prémonitoires d'Agrippine et Burrhus (attestés par le récit historique de Tacite), particulièrement dans le vers final, empreint d'une ironie glaciale : « Plût aux Dieux que ce fût le dernier de ses crimes ! » L'histoire nous dit qu'Agrippine mourra assassinée sur les ordres de Néron en mars 59, et Burrhus, peu de temps après, sans doute lui aussi empoisonné.

### Les personnages en parole et en acte

Les personnages, très peu nombreux, de la tragédie de *Britannicus* ont la particularité, à l'exception notable ici des confidents ou des gouverneurs, d'appartenir à une même famille, nous disent les récits des historiens, fertile en héros, en victimes et en monstres : la dynastie des Julio-Claudiens, dont Néron est précisément le dernier représentant à régner sur Rome. La constellation de ces différents « acteurs » du drame peut donc se définir sur plusieurs plans superposés, les plans politique, amoureux et familial.

#### ▌ Agrippine

D'un point de vue purement quantitatif, on compte 454 vers prononcés par Agrippine ; en terme de prise de parole, son rôle est le plus développé de la pièce, plus long que celui de Néron. Elle envahit de sa présence tous les actes de la tragédie, à l'exception de l'acte IV, où elle laisse la place à Néron. Mais il faut apprécier ensuite la teneur même de ses propos : les imprécations et les récriminations – sous la double forme du rappel du passé et de la menace et du complot – constituent une bonne part des tirades d'Agrippine, ce qui en fait un personnage sur la défensive, en train de perdre son immense pouvoir et de résister férocement à ce déclin. Elle représente le type même de l'orgueilleuse et de l'autoritaire dont le discours vibre d'ordres et de questions. En fait, sa hauteur de ton et sa maladresse foncière face à Néron, ses revirements spectaculaires aussi, accélèrent le processus tragique. Son aveuglement est au moins aussi grand que celui du jeune héros naïf de la tragédie. Dans *Britannicus*, l'histoire politique n'est jamais loin de l'histoire familiale et des liens familiaux. C'est, en particulier, le cas d'Agrippine, qui ne cesse de se proclamer « fille, femme, sœur et mère » d'empereurs, en rappelant ainsi à la mémoire du public une prestigieuse lignée et une série d'abominables crimes : son père Germanicus, adopté par Tibère et empoisonné ; son époux Claude, empoisonné sur son ordre ; son frère Caligula, incestueux et dément, assassiné par un complot ; son fils Néron, enfin, en train de s'accomplir en perpétrant un crime fratricide, conformément à sa lourde hérédité. Pour continuer à s'inscrire comme force agissante de l'histoire, elle songe même à renier ce fils, qu'elle a porté au pouvoir par des actions criminelles, au profit de Britannicus.

### ▌ Néron

C'est évidemment un rôle important (363 vers), le plus long de la pièce après celui d'Agrippine. Ce personnage central est saisi par Racine au moment où son développement met en relief les forces qui le traversent et les influences contradictoires qu'il subit : les terribles leçons qu'il a indirectement reçues de sa mère, ainsi que les liens troubles qu'il entretient avec elle ; l'éducation vertueuse et les conseils modérés de son gouverneur, Burrhus ; le machiavélisme de Narcisse qui vise à libérer ses passions aussi bien amoureuses que criminelles ; l'involontaire séduction et la résistance de Junie, elle-même « nièce » d'Auguste, qui trouble le jeu du pouvoir. Avec une grande habileté dramaturgique, Racine montre Néron, jeune et presque adolescent, décidé à devenir adulte en s'affranchissant de toute dépendance. Élevé dans une cour dangereuse où rôdait la mort et accoutumé dès son enfance à cacher « sa haine sous de fausses caresses », mais aussi foncièrement pervers, il se révèle à la scène 2 de l'acte II, le pouvoir impérial ne pouvant qu'exacerber ses mauvais penchants. Sur le plan politique, il concentre tous les pouvoirs entre ses mains. Dans ses manœuvres, il apparaît rusé, ne dévoilant pas sa stratégie ; il trompe ses adversaires et se révèle sans pitié pour ses ennemis, comme le montre son impassibilité lors de la mort de Britannicus, racontée par Burrhus (V, 5). Sur le plan affectif, il éprouve des sentiments ambivalents de haine et de soumission à l'égard de sa mère, sentiments dont il est parfaitement conscient (II, 2).

Narcisse semble jouer à ses côtés moins le rôle d'un confident que celui d'un psychanalyste, en permettant à Néron de dévoiler jusqu'à son intimité, voire son inconscient (c'est d'ailleurs un rôle identique qu'il joue auprès de Britannicus pour le malheur de celui-ci) : « Mais je t'expose ici mon âme toute nue. »

Dans cette perspective de dévoilement, l'amour et le désir qu'il éprouve pour Junie pourraient n'apparaître que comme un caprice de prince, si ces sentiments n'étaient pas intimement liés aux pulsions de violence et de sadisme qui éclatent au fur et à mesure du déroulement de l'action.

### Britannicus

Le rôle de Britannicus comporte 242 vers, et, même s'il s'agit du rôle-titre, ce personnage est le moins fouillé psychologiquement. Dans la préface de 1670, Racine explique son choix de Britannicus comme héros de sa tragédie, essentiellement pour ses potentialités d'éveiller la pitié chez le spectateur : « Un jeune prince de dix-sept ans, qui a beaucoup de cœur, beaucoup d'amour, beaucoup de franchise et beaucoup de crédulité, qualités ordinaires d'un jeune homme, m'a semblé très capable d'exciter la compassion. Je n'en veux pas davantage. » Il est vrai qu'à défaut d'être un héros parfait, Britannicus est la proie de malheurs qui l'assaillent ; l'enlèvement de Junie, son unique soutien sincère, après qu'il a été écarté du trône par l'adoption de Néron, le met face à trois difficultés majeures : protégé par Agrippine, car il représente un atout possible contre son fils, il apparaît comme un héritier potentiel et un rival politique de Néron, mais, lorsque celui-ci tombe amoureux de Junie, il devient aussi son rival sentimental. Spolié du trône par les machinations d'Agrippine, il est résigné au début de la pièce. Ce qui donne au personnage une dimension tragique, c'est son sursaut d'espoir sur le plan politique grâce à l'alliance avec Agrippine, à qui, avec l'inconscience de la jeunesse, il fait même une farce en lui faisant croire que la noblesse songe à se rebeller (III, 5). Sur le plan amoureux, plus cruellement encore, il espère, au début de l'acte V, quand tout est déjà joué, que son mariage avec Junie est accepté par Néron (V, 1).

Enfin, sur le plan familial, alors que Narcisse prépare son empoisonnement, il pense retrouver un frère en Néron apaisé.

## Junie

Le personnage de Junie ne prononce que 169 vers et c'est, de tout le personnel tragique, le seul qui soit véritablement « un personnage inventé ». Certes, dans la seconde préface, Racine évoque, d'après Tacite, une Junia Calvina, « de la famille d'Auguste », mais les détails biographiques qui sont ensuite donnés ne correspondent pas du tout au rôle fictionnel qu'elle joue entre Britannicus et Néron. L'invention du dramaturge a consisté à structurer la pièce en introduisant un conflit passionnel dans les rapports de force en présence. L'enlèvement de la jeune fille déclenche l'action dramatique, et la passion brutale pour Junie, elle-même amoureuse de Britannicus, qui s'empare de Néron, est à l'origine du nœud tragique. Pure, éloignée de la vie à la cour, noble et belle, à la fois fragile et ferme devant Néron, Junie incarne un idéal inaccessible, ou du moins auquel Néron ne peut accéder qu'en le détruisant. La figure qui se met ainsi en place entre les trois personnages jeunes de la tragédie correspond à un triangle amoureux d'où l'enjeu politique n'est pas écarté. En effet, Néron prend la décision d'empoisonner Britannicus pour supprimer un rival qui, en suivant les intrigues d'Agrippine, aurait toujours pu revendiquer un pouvoir légitime comme fils de Claude, mais – et ce fut un reproche que ses détracteurs adressèrent à Racine – les trois dernières scènes qui prolongent le dénouement après la mort de Britannicus sont consacrées aux ravages de la passion inassouvie, faisant résonner pour conclure la revanche de l'amour sur le politique (V, 8, v. 1755-1764).

### Le rôle du confident : Albine, Burrhus et Narcisse

Le confident, avatar de la suite qui accompagnait les seigneurs dans la société du XVIIᵉ siècle, est ce personnage secondaire de la tragédie à qui le héros se confie (c'est l'origine sémantique du mot) et par l'entremise de qui il révèle au spectateur son intimité. Ses fonctions sont plurielles et complexes dans *Britannicus*.

Albine, la confidente d'Agrippine, est la première à paraître sur scène et n'a que 89 vers à prononcer dans l'ensemble de la tragédie. Elle assume le rôle traditionnel du confident puisque, par ses questions naïves, elle permet à Agrippine de révéler ses sentiments et ses intentions. Albine, comme les confidents dans la tragédie, ne quitte jamais Agrippine ; elle est donc omniprésente, mais ne s'exprime que quand elles sont seules. Elle a une fonction dramatique en facilitant l'exposition de la tragédie. À la scène 5 de l'acte III, lorsqu'elle engage Agrippine à plus de prudence face à Néron, son rôle outrepasse à peine les contraintes d'une confidente. Elle conclut le dénouement dans la scène finale par son récit de la fuite de Junie et de la mort violente de Narcisse. Enfin, elle déborde le temps exact de la tragédie en informant Agrippine et Burrhus de la folie grandissante de Néron.

Les deux personnages de gouverneur, Burrhus et Narcisse, dépassent largement le rôle traditionnel de confident tel qu'il est défini dans la dramaturgie classique, à la fois par leur importante prise de parole (286 vers pour Burrhus et 165 vers pour Narcisse) et par leurs différentes fonctions. Dramatiquement, ils représentent en action les deux voies possibles qui s'ouvrent devant Néron au moment clé de la tragédie, et incarnent les deux versants de sa personnalité, du moins au moment où il est saisi par Racine, comme celui-ci le précise dans la préface de 1670 : « Je l'ai toujours regardé comme un monstre. Mais c'est ici un monstre naissant. Il n'a pas encore mis le feu à Rome. Il n'a pas tué sa mère, sa femme, ses gouverneurs. » Les termes « ici » et « encore » soulignent bien que le personnage se situe à un moment décisif de bascule et d'évolution.

Du côté d'une vision politique de la grandeur, Racine a choisi Burrhus plutôt que Sénèque, le philosophe stoïcien, maître de l'éloquence, alors que tous deux avaient été les « gouverneurs de la jeunesse de Néron ». Racine explique ce choix dans la seconde préface par les fonctions militaires de Burrhus, qu'il peut ainsi opposer avec plus de vigueur et de dynamisme à Narcisse, « cette peste de cour ». Cette opposition entre courtisan et soldat instaure une symétrie efficace. De plus, la caractéristique militaire de Burrhus rend plausible le côté raide, loyaliste, voire borné du personnage : même sans illusion sur le comportement de Néron et ses agissements, il reste néanmoins fidèle au pouvoir devenu légitime, fût-ce à la suite de crimes (III, 3, v. 860-871).

Alors qu'il est simplement présenté dans la liste des personnages et dans l'acte I comme le « gouverneur » de Britannicus, Narcisse joue en fait le rôle de ministre et de conseiller occulte auprès de Néron. Cette situation trouble accroît la tension dramatique, en particulier dans les scènes où il est présent, mais ne prononce aucune parole. Dans la scène 4 de l'acte I, répondant aux inquiétudes de Britannicus sur de possibles trahisons dans son entourage, il esquisse en creux son propre portrait en un terrible et dérisoire hémistiche : « Ah ! quelle âme assez basse... » Il joue un rôle important dans l'évolution de Néron vers le crime, on peut même dire qu'il l'y précipite par ses conseils venimeux. Assumant une fonction plus dramatique encore, Narcisse sert d'exécutant des basses œuvres : c'est lui, en particulier, qui non seulement pousse Néron à empoisonner Britannicus, mais fait préparer le poison par la « fameuse Locuste ». Ce rôle composé par Racine à partir de sources certes historiques, mais radicalement modifiées (et même inversées, puisque Narcisse, nous dit Tacite, a toujours été loyal envers son maître, l'empereur Claude et son fils Britannicus), constitue une création originale qui hausse ce qui aurait pu n'être qu'un confident au rang de véritable personnage, doté d'un passé, d'une réflexion sur son action présente et envisageant même un avenir dans un bref monologue, à la fin de l'acte II (II, 8, v. 757-760).

# L'œuvre : origines et prolongements

## La rivalité entre Corneille et Racine

**A**PRÈS L'ÉCHEC RELATIF de son unique comédie, *Les Plaideurs*, en 1668, *Britannicus* inaugure le retour définitif de Racine au genre tragique. La présence sans doute inquiétante de Corneille à la première représentation, ainsi qu'une cabale montée par des critiques favorables au vieux dramaturge, aboutissent à ce que la pièce reçoive un accueil sans enthousiasme. Aux partisans de Corneille, qui lui reprochent l'utilisation d'épisodes de l'histoire romaine connus de tous, Racine répond immédiatement et avec force dans la préface qui accompagne la publication de *Britannicus*, en janvier 1670, et marque nettement ses distances avec l'esthétique cornélienne. Répondre ainsi à ses accusateurs l'amène à définir sa propre approche de la tragédie : ainsi, il s'oppose à la volonté de surprendre et même de heurter le public, volonté qu'il attribue à son rival qui, selon lui, accumule dans ses pièces les fautes contre la bienséance et la vraisemblance ; il se félicite également d'avoir développé dans sa tragédie « une action simple chargée de peu de matière, telle que doit être une action qui se passe en un seul jour ».

**D**ANS CETTE PREMIÈRE PRÉFACE, et au-delà de la polémique contre Corneille, son illustre prédécesseur, Racine définit les éléments fondamentaux de son esthétique : il insiste sur la règle des trois unités, se réfère avec respect et admiration aux auteurs anciens, « ces grands hommes de l'Antiquité qu'[il a] choisis pour modèles », que ce soit les tragiques comme Sophocle, dont il évoque l'*Antigone*, les théoriciens comme Aristote et, bien sûr, les historiens comme Tacite. Mais, dans le même temps, il revendique le droit à la transformation et à l'invention, en particulier dans la création de ses personnages :

# L'œuvre : origines et prolongements

ainsi, le dramaturge saisit habilement Néron quand il n'est encore qu'un « monstre naissant », prêt à basculer dans la violence et les crimes ; il vieillit de deux ans Britannicus, jeune prince âgé de 15 ans dans l'histoire réelle, pour donner plus de crédibilité au héros de sa tragédie ; il compose le beau personnage de Junie, trouvant au dénouement refuge chez les Vestales, à partir d'éléments épars pris dans Tacite, et ces choix revendiqués montrent clairement la façon dont Racine maîtrise les traits susceptibles de provoquer l'émotion du spectateur. Les éléments essentiels de son théâtre, déjà présents dans *Andromaque*, à savoir le désir, la cruauté, l'enfermement, le pessimisme et l'absence d'illusions, se développent et s'affirment dans *Britannicus*.

## L'héritage de Tacite, « le plus grand peintre de l'Antiquité »

C'EST DANS LES *ANNALES*, l'œuvre de l'historien latin Tacite, qu'en bon latiniste du collège de Beauvais Racine puise la matière de sa tragédie. Avec *Britannicus*, il choisit un sujet qui s'inscrit bien dans les normes de l'époque, en situant l'intrigue dans une période historique attestée : un épisode bien connu de l'Empire romain au $I^{er}$ siècle apr. J.-C., plus précisément l'avènement de l'empereur Néron en 55 apr. J.-C. et les luttes qui ont accompagné cette prise de pouvoir. Dans les *Annales*, Tacite, qui a été consul en 97 apr. J.-C., relate les règnes des successeurs de l'empereur Auguste (dont Corneille vantait la « clémence » dans *Cinna*) : Tibère, Caligula, Claude et Néron, dont la mort marque la fin de la dynastie julio-claudienne. La vision que l'historien donne de l'Empire romain est extrêmement sombre, amère, voire désespérée : « Des ordres criminels, des accusations continuelles, des amitiés traîtresses, des innocents perdus, et toujours les mêmes raisons de mourir, voilà ce que nous alignons, avec une évidente monotonie, et jusqu'à satiété. » Nul doute que c'est d'abord cette vision tout à la fois pessimiste et intransigeante qui a séduit l'élève des

# L'œuvre : origines et prolongements

jansénistes ! Mais il faut également noter que cette horrible revue de drames et de perversions est écrite dans un style concis, tendu et épuré qu'admirait profondément Racine et qu'il commente longuement dans la seconde préface de *Britannicus* : « J'avais copié mes personnages d'après le plus grand peintre de l'Antiquité, je veux dire d'après Tacite. [...] J'avais voulu mettre dans ce recueil un extrait des plus beaux endroits que j'ai tâché d'imiter ; mais j'ai trouvé que cet extrait tiendrait presque autant de place que la tragédie. » Pour éclairer, d'une part, ce que Racine doit à Tacite selon la théorie de l'imitation des Anciens, et, d'autre part, l'originalité intrinsèque de l'écriture du dramaturge, mettons en parallèle quelques passages clés, particulièrement significatifs de l'histoire racontée. Par exemple, le conflit qui ouvre la tragé-die entre Agrippine, craignant l'émancipation du fils qui lui doit tout, et Néron, qui cherche en effet à secouer l'emprise de sa mère (VI, 2) : « Alors brusquement, Agrippine s'empresse d'effrayer et de menacer, et elle ne s'abstient pas de rapporter aux oreilles du prince que Britannicus est déjà grand, le vrai et digne rejeton de Claude, prêt à hériter de son père l'empire qu'un intrus, un adopté n'exerçait qu'au détriment d'une mère » (*Annales*, XIII, 14, trad. M.-J. Fourtanier).

**A**UTRE EXEMPLE : l'empoisonnement de Britannicus par Néron au cours d'un banquet (V, 5) : « Le poison est versé dans l'eau fraîche, il envahit tous ses membres de sorte que sa parole et son esprit lui sont ravis. C'est l'affolement chez ses voisins de table ; les imprudents s'enfuient ; mais ceux qui ont mieux compris restent là, immobiles et regardent fixement Néron » (*ibid.*, XII, 16). Il est intéressant de rappeler que c'est à propos de cette scène du banquet évoquée par le récit de Burrhus que Victor Hugo écrit au sujet de Racine dans la préface de *Cromwell* : « Aussi on doit croire que, s'il n'eût pas été paralysé comme il l'était par les préjugés de son siècle, s'il eût été moins souvent touché par la torpille classique, il n'eût

147

# L'œuvre : origines et prolongements

point manqué de jeter Locuste dans son drame entre Narcisse et Néron, et surtout n'eût pas relégué dans la coulisse cette admirable scène du banquet où l'élève de Sénèque empoisonne Britannicus dans la coupe de la réconciliation. » En fait, le cinéma, avec l'ampleur de ses moyens visuels et sonores, réalisera la perspective de mise en scène évoquée par Hugo. C'est en effet dans le septième art que l'on trouve les réécritures les plus fidèles, malgré un certain nombre de décalages, des tragédies romaines comme *Britannicus*.

## Le personnage de Néron au cinéma

**U**N PREMIER DÉCALAGE, et le plus important, est évidemment le fait que le personnage réutilisé dans le cinéma n'est ni le malheureux Britannicus ni la belle Junie, qui ont disparu en tant que tels de la mémoire collective, mais Néron, l'archétype de l'empereur fou et pervers. On peut ainsi admirer dans le péplum de 1951, *Quo vadis*, de Mervyn LeRoy, la performance de l'acteur Peter Ustinov, posant un œil concupiscent sur la jeune Lygie, faisant incendier Rome pour pouvoir chanter sur sa lyre une épopée digne de l'*Iliade* d'Homère ou se délectant du martyre et des chrétiens dans l'arène. En fait, les historiens latins, Tacite et Suétone, ont, pour des raisons de propagande, noirci le portrait d'un homme dont les historiens modernes analysent désormais le rôle avec plus de recul. Néron est vu désormais comme celui qui donne au pouvoir impérial une dimension d'absolutisme et qui s'appuie, par démagogie, sur le peuple afin de détruire le pouvoir de l'aristocratie sénatoriale, situation qui rappelle, toutes proportions gardées, la politique activement menée par Richelieu, Mazarin et Louis XIV au XVIIe siècle. Mais la figure de Néron reste, dans l'imaginaire collectif, l'empereur adipeux, lâche et dément, acharné contre les chrétiens, créé par la tradition littéraire, et il serait trop long d'énumérer les productions le mettant en scène, lui ou ses avatars, dans cette perspective, tant elles sont nombreuses,

# L'œuvre : origines et prolongements

depuis les premiers péplums italiens jusqu'aux versions hollywoodiennes les plus récentes.

Enfin, preuve de sa vitalité et de sa résistance à l'époque contemporaine, la bande dessinée accorde également une place au personnage de Néron avec *Murena – Premier Cycle (Le Cycle de la mère)*, sur un scénario de Jean Dufaux et des dessins de Philippe Delaby, paru entre 1997 et 2002 aux éditions Dargaud.

# L'œuvre
# et ses représentations

## Une première représentation animée

### La critique loue l'écriture mais fustige le statisme de l'action

Depuis la première représentation, le vendredi 13 décembre 1669, sur le théâtre de l'hôtel de Bourgogne, la tragédie de *Britannicus* n'a cessé d'être interprétée et mise en scène. La soirée du vendredi était réservée habituellement aux pièces que l'on estimait importantes et susceptibles de plaire au public.

Nous disposons, grâce à l'écrivain Edmé Boursault, critique aussi bien de Racine que de Molière, d'une relation assez malveillante, mais drôle, de cet événement littéraire et mondain : « Il était sept heures sonnées par tout Paris, quand je sortis de l'Hôtel de Bourgogne, où l'on venait de représenter pour la première fois le Britannicus de M. Racine qui ne menaçait pas moins que de mort violente tous ceux qui se mêlent d'écrire pour le théâtre. Pour moi, qui m'en suis autrefois mêlé, mais si peu que par bonheur il n'y a personne qui s'en souvienne, je ne laissais pas d'appréhender comme les autres ; et dans le dessein de mourir d'une plus honnête mort que ceux qui seraient obligés de s'aller pendre, je m'étais mis dans le parterre pour avoir l'honneur de me faire étouffer par la foule. » Dans son récit, notre informateur signale la présence de Corneille, « tout seul dans une loge », et ne ménage pas ses critiques à la pièce. En fait, selon Boursault, ce qui fut discuté par les contemporains fut le sujet même de la tragédie, « une partie de l'histoire romaine », et les caractères des personnages : « Agrippine leur parut fière sans sujet, Burrhus vertueux sans dessein, Britannicus amoureux sans jugement, Narcisse lâche sans prétexte, Junie constante sans fermeté et Néron cruel sans malice », avant d'ajouter malgré son ressentiment envers le dramaturge : « Il est constant que dans le *Britannicus* il y a d'aussi beaux vers qu'on en puisse faire... » Chacun, en effet, semble s'être accordé à reconnaître le mérite de l'écriture racinienne, à la fois châtiée et visant au naturel. Mais le compte rendu dénonce assez injustement le caractère statique de l'action et donc l'absence de progression dramatique : « Le premier acte promet quelque chose de fort beau, et le second acte ne le dément pas ; mais au troisième, qui contient une partie de l'histoire romaine, et qui par conséquent n'apprend rien [...], ne laisserait pas de faire oublier qu'on s'est ennuyé au précédent, si dans le cinquième la façon dont Britannicus est empoisonné, et celle dont Junie se rend vestale, ne faisaient pitié. » Enfin, Boursault salue le talent des acteurs de cette première représentation par ordre d'apparition sur la scène : Mlle Des Œillets jouant Agrippine, qui « fait mieux qu'elle n'a jamais fait jusqu'à présent », le comédien Lafleur dans le rôle de Burrhus, Brécourt dans le rôle-titre, Hauteroche dans celui de Narcisse, Floridor interprétant Néron et la d'Ennebaut, qui « s'acquitte si agréablement du personnage de Junie qu'il n'y a point d'auditeur qu'elle n'intéresse à sa douleur ».

## Le dynamisme de la troupe royale de l'hôtel de Bourgogne

En revanche, nous n'avons aucune indication exacte de mise en scène, de décor, d'accessoires ou de costumes. On peut cependant imaginer l'atmosphère et le cadre des représentations au XVIIe siècle, en lisant la pièce d'Edmond Rostand, *Cyrano de Bergerac*, ou en visionnant le film qu'en a tiré Jean-Paul Rappeneau, en 1990, avec Gérard Depardieu dans le rôle-titre. De même, il est intéressant de souligner l'importance des acteurs et des actrices dans l'élaboration des pièces, et d'évoquer la vie de la troupe royale de l'hôtel de Bourgogne qui joua avec enthousiasme et sensibilité *Britannicus*. En effet, sous la direction de l'acteur Floridor, pendant vingt-cinq ans, la troupe vécut une époque glorieuse et connut une série de succès sans interruption. À l'hôtel de Bourgogne, Floridor participa à la création de toutes les tragédies de Racine, dont *Britannicus*, où il interprétait le rôle clé de Néron. Quant aux autres interprètes de la tragédie, ils étaient tous des acteurs très renommés. La plupart d'entre eux avaient été formés dans la troupe de Molière et étaient unanimement salués par les critiques du temps : ainsi, le gazetier (journaliste du XVIIᵉ siècle) Jean Loret fit l'éloge de la comédienne Mlle Des Œillets, à plusieurs reprises, et nota son triomphe dans le rôle d'Agrippine ; Mlle d'Ennebaut était une excellente actrice, fille de Montfleury, le gros comédien dont se moque férocement Cyrano dans la pièce d'Edmond Rostand ; Hauteroche, fils d'un huissier, ne se contentait pas de jouer, il écrivait également des comédies.

## Du Grand Siècle au XXIᵉ siècle : une lecture de la passion du pouvoir

### Les mises en scène politiques de Daniel Mesguich (1975) et d'Antoine Vitez (1981)

À l'époque moderne, plusieurs metteurs en scène ont proposé au public leur vision de *Britannicus*, oscillant entre représentation en costumes antiques ou habits du XVIIᵉ siècle, et donc entre une lecture axée sur la référence historique de l'histoire racontée ou sur l'évocation du Grand Siècle à travers la tragédie classique. En 1961, Michel Vitold donne à la Comédie-Française une mise en scène dans laquelle s'opposent violemment, habillés en toges et tuniques, Néron (joué dans une sorte de transe par Robert Hirsch) et Agrippine (jouée avec froideur par Annie Ducaux). Après 1968, on trouve des mises en scène plus politiques, par exemple celle de Daniel Mesguich en 1975 ou celle de Jean-Pierre Miquel, cette fois transposée au XXᵉ siècle, avec le comédien Francis Huster en Britannicus. Notons en 1981, au Théâtre national de Chaillot, la mise en scène d'Antoine Vitez, très sobre et aux accents tragiques, ainsi que, en 1992, celle d'Alain Françon, au Théâtre des

## L'œuvre et ses représentations

Amandiers, à Nanterre. Dans les mises en scène les plus récentes, voire actuelles, signalons celle de Brigitte Jaques-Wajeman, en 2004, au théâtre du Vieux-Colombier à Paris, dont les critiques ont souligné la modernité des décors et des costumes ; et, enfin, celle de Martin Faucher, qui, de l'autre côté de l'Atlantique, à Montréal, au Québec, « offre un Britannicus sauvage et raffiné, sensuel et intelligent, un spectacle axé sur la jeunesse et sur la difficulté de transmettre des valeurs dans une société corrompue ». Le site Internet du spectacle insiste sur le fait que *Britannicus* est l'une des pièces les plus jouées de Racine et qu'elle condense de nombreux thèmes de sa dramaturgie – les luttes fratricides, l'orgueil et le dépit amoureux, la passion destructrice, la fatalité – tout en se révélant d'une grande actualité : en effet, « passion du pouvoir, désir insatiable, perversité, sadisme et voyeurisme, déterminisme génétique et social côtoient l'amour sans calcul, l'innocence, l'éducation et la lucidité ».

Anne Rondags (Albine) et Dany Kogan (Britannicus).
Mise en scène de Daniel Mesguich,
Théâtre de la Nouvelle Comédie, 1975.

Jean-Luc Boutté (Néron) et Denise Gence (Agrippine).
Mise en scène de Jean-Pierre Miquel, Comédie-Française, 1978.

Aurélien Recoing est Britannicus.
Dans la mise en scène de Antoine Vitez,
Théâtre de Chaillot, 1981.

Alexandre Pavloff (Néron) et Dominique Constanza (Agrippine).
Mise en scène de Brigitte Jaques-Wajeman,
Théâtre du Vieux-Colombier, 2004.

# L'œuvre à l'examen

À l' **écrit**  **Objet d'étude :** l'argumentation.

**Corpus bac : dialogue d'idées au théâtre**

## TEXTE 1

*Britannicus* (1669),
Jean Racine. Acte V, scène 6, vers 1648-1693.

## TEXTE 2

*Le Jeu de l'amour et du hasard* (1734),
Marivaux. Acte I, scène 7.

*M. Orgon désire marier sa fille Silvia à Dorante, le fils d'un de ses vieux amis. Pour apprendre à se connaître, les deux jeunes gens échangent leurs rôles avec leurs domestiques : Silvia devient Lisette et Dorante se déguise en Bourguignon. Mais Silvia ne trouve pas celui qu'elle croit être Dorante à son goût.*

**SILVIA.** Je vous trouve admirable de ne pas le renvoyer tout d'un coup, et de me faire essuyer les brutalités de cet animal-là.

**LISETTE.** Pardi, Madame, je ne puis pas jouer deux rôles à la fois ; il faut que je paraisse ou la Maîtresse, ou la Suivante, que j'obéisse ou que j'ordonne.

**SILVIA.** Fort bien ; mais puisqu'il n'y est plus, écoutez-moi comme votre Maîtresse : vous voyez bien que cet homme-là ne me convient point.

**LISETTE.** Vous n'avez pas eu le temps de l'examiner beaucoup.

**SILVIA.** Êtes-vous folle avec votre examen ? Est-il nécessaire de le voir deux fois pour juger du peu de convenance ? En un mot je n'en veux point. Apparemment que mon père n'approuve pas la répugnance qu'il me voit, car il me fuit, et ne me dit mot ; dans cette conjoncture, c'est à vous à me tirer tout doucement d'affaire, en témoignant adroitement à ce jeune homme que vous n'êtes pas dans le goût de l'épouser.

**LISETTE.** Je ne saurais, Madame.

**SILVIA.** Vous ne sauriez ! Et qu'est-ce qui vous en empêche ?

**LISETTE.** Monsieur Orgon me l'a défendu.

**SILVIA.** Il vous l'a défendu ! Mais je ne reconnais point mon père à ce procédé-là.

**LISETTE.** Positivement défendu.

**SILVIA.** Eh bien, je vous charge de lui dire mes dégoûts, et de l'assurer qu'ils sont invincibles ; je ne saurais me persuader qu'après cela il veuille pousser les choses plus loin.

**LISETTE.** Mais, Madame, le futur qu'a-t-il donc de si désagréable, de si rebutant ?

**SILVIA.** Il me déplaît, vous dis-je, et votre peu de zèle aussi.

**LISETTE.** Donnez-vous le temps de voir ce qu'il est, voilà tout ce qu'on vous demande.

**SILVIA.** Je le hais assez sans prendre du temps pour le haïr davantage.

**LISETTE.** Son valet qui fait l'important ne vous aurait-il point gâté l'esprit sur son compte ?

**SILVIA.** Hum, la sotte ! Son valet a bien affaire ici !

**LISETTE.** C'est que je me méfie de lui, car il est raisonneur.

**SILVIA.** Finissez vos portraits, on n'en a que faire ; j'ai soin que ce valet me parle peu, et dans le peu qu'il m'a dit, il ne m'a jamais rien dit que de très sage.

**LISETTE.** Je crois qu'il est homme à vous avoir conté des histoires maladroites, pour faire briller son bel esprit.

**SILVIA.** Mon déguisement ne m'expose-t-il pas à m'entendre dire de jolies choses ! À qui en avez-vous ? D'où vous vient la manie d'imputer à ce garçon une répugnance à laquelle il n'a point de part ? Car enfin, vous m'obligez à le justifier, il n'est pas question de le brouiller avec son maître, ni d'en faire un fourbe pour me faire moi une imbécile qui écoute ses histoires.

**LISETTE.** Oh, Madame, dès que vous le défendez sur ce ton-là, et que cela va jusqu'à vous fâcher, je n'ai plus rien à dire.

## TEXTE 3

*La Reine morte* (1942),
Henri de Montherlant. Acte III, scène 6.

*Le vieux roi Ferrante veut marier son fils Pedro à l'infante de Navarre. Mais le jeune homme est déjà marié secrètement à Inès, qui attend un enfant de lui. Les deux protagonistes s'affrontent sur le sens de la vie.*

**INÈS.** J'accepte de devoir mépriser l'univers entier, mais non mon fils. Je crois que je serais capable de le tuer, s'il ne répondait pas à ce que j'attends de lui.

**FERRANTE.** Alors, tuez-le donc quand il sortira de vous. Donnez-le à manger aux pourceaux. Car il est sûr que autant par lui vous êtes en plein rêve autant par lui vous serez en plein cauchemar.

**INÈS.** Sire, c'est péché à vous de maudire cet enfant qui est de votre sang.

**FERRANTE.** J'aime décourager. Et je n'aime pas l'avenir.

**INÈS.** L'enfant qui va naître a déjà son passé.

**FERRANTE.** Cauchemar pour vous. Cauchemar pour lui aussi. Un jour, on le déchirera, on dira du mal de lui... Oh ! Je connais tout cela.

**INÈS.** Est-il possible qu'on puisse dire du mal de mon enfant !

**FERRANTE.** On le détestera...

**INÈS.** On le détestera, lui qui n'a pas voulu être !

**FERRANTE.** Il souffrira, il pleurera...

**INÈS.** Vous savez l'art des mots faits pour désespérer ! – Comment retenir ses larmes, les prendre pour moi, les faire couler en moi ? Moi, je puis tout supporter : je puis souffrir à sa place, pleurer à sa place. Mais lui ! Oh ! Que je voudrais que mon amour eût le pouvoir de mettre dans sa vie un sourire éternel ! Déjà, cependant, on l'attaque, cet amour. On me désapprouve, on me conseille, on prétend être meilleure mère que je ne le suis. Et voici que vous, Sire – mieux encore ! – sur cet amour vous jetez l'anathème. Alors qu'il me semblait parfois que, si les hommes savaient combien j'aime mon enfant, peut-être cela suffirait-il pour que la haine se tarît à jamais dans leur cœur. Car moi, tant que je le porte, je sens en moi une puissance merveilleuse de tendresse pour les hommes. Et c'est lui qui défend cette région profonde de mon être d'où sort ce que je donne à la création et aux créatures. Sa pureté défend la mienne. Sa candeur préserve la mienne contre ceux qui voudraient la détruire [...].

**FERRANTE.** Sa pureté n'est qu'un moment de lui, elle n'est pas lui. Car les femmes disent toujours : « Élever un enfant pour qu'il meure à la guerre ! » Mais il y a pire encore : élever un enfant pour qu'il vive et se dégrade dans la vie. Et vous, Inès, vous semblez avoir parié singulièrement pour la vie.

## SUJET

### a. Question préliminaire (sur 4 points)

Vous montrerez à partir des textes proposés comment les divers personnages échangent des arguments et cherchent à se convaincre, mais aussi à se blesser mutuellement.

### b. Travaux d'écriture (sur 16 points) – au choix

#### Sujet 1. Commentaire.

Vous ferez le commentaire du texte de Montherlant (texte 3), à partir du parcours de lecture suivant :
– le conflit des deux personnages (leur nom, leur situation sociale, le lexique qu'ils utilisent) ;

# L'œuvre à l'examen

– montrez que, dans le dialogue, ce sont deux visions du monde et de la vie qui s'opposent.
– qualifiez le registre de cette scène.

**Sujet 2. Dissertation.**

Le dramaturge Bertolt Brecht écrit :
« Et je rapporte les propos qu'ils se lancent
Ce que la mère dit au fils
Ce que le patron ordonne à l'ouvrier
Ce que la femme répond au mari
Je rapporte toutes leurs paroles
Quémandeuses ou autoritaires
Implorantes ou équivoques
Mensongères ou ignorantes
Belles ou blessantes
Je les rapporte toutes. »

(Chant de l'auteur de pièces)

Que pensez-vous de cette définition du dialogue théâtral ?
Vous répondrez en vous appuyant sur les textes qui vous sont proposés, ceux que vous avez étudiés en classe ainsi que vos lectures et vos réflexions personnelles.

**Sujet 3. Écriture d'invention.**

À votre tour, vous écrirez un dialogue dans lequel deux personnages proches (mère et fille, frère et sœur, par exemple) échangent des arguments sur leurs visions personnelles de la famille. Vous introduirez les paroles des personnages par un bref chapeau explicatif.

Documentation et complément d'analyse sur :
**www.petitsclassiqueslarousse.com**

# L'œuvre à l'examen

**Objet d'étude :** le théâtre, texte
et représentation
(la scène d'exposition).

À l' **oral**

**Acte I, scène 1, vers 1-58.**

## Sujet : comment la scène d'exposition met-elle en place le conflit fondamental qui constitue le cœur de la tragédie ?

### RAPPEL

Une lecture analytique peut suivre les étapes suivantes :

**I. Mise en situation du passage, puis lecture à haute voix**
**II. Projet de lecture**
**III. Composition du passage**
**IV. Analyse du passage**
**V. Conclusion – remarque à regrouper un jour d'oral en fonction de la question posée.**

## I. Situation de la scène

Comme presque toutes les scènes d'exposition des tragédies de Racine, la première scène de *Britannicus* met en place un dialogue entre Agrippine et sa confidente, Albine. Celui-ci nous apprend que le conflit qui constitue le cœur de la tragédie oppose Agrippine et son fils, Néron. Le mouvement de cette scène conduit Agrippine, dans un premier temps, à expliquer à Albine pourquoi elle se trouve devant la porte de Néron : elle lui fait part des très graves inquiétudes que lui donne son fils ; puis, devant l'étonnement de sa suivante, elle évoque l'enlèvement de Junie, élément déclencheur de l'action, et s'interroge sur les raisons qui ont pu inspirer un tel acte. Elle soupçonne en effet Néron d'avoir voulu ainsi riposter à la dernière manœuvre de sa mère, qui vient d'apporter son appui à Britannicus et à Junie en annonçant qu'elle approuvait leur union.

# L'œuvre à l'examen

## II. Projet de lecture

### Des informations sur la situation

Cette scène d'exposition apporte donc un grand nombre d'informations : elle introduit les caractéristiques de tous les personnages de la pièce, à l'exception de Narcisse. À la fin de la scène, le spectateur dispose de tous les éléments nécessaires pour comprendre ce qui va se passer, excepté que nous ignorons encore que Néron est tombé amoureux de Junie. Mais, en s'interrogeant sur les mobiles qui ont poussé Néron à faire enlever la jeune fille, Agrippine a envisagé l'hypothèse suivante : « Est-ce haine, est-ce amour qui l'inspire ? »

### Une présentation naturelle

La construction de cette scène d'exposition apparaît extrêmement habile car elle obéit au naturel : la confidente, Albine, rappelle à Agrippine l'heure qu'il est, où elle est et qui elle est, ce qui peut paraître étrange. Mais, si elle croit devoir le lui rappeler, c'est parce qu'Agrippine semble avoir oublié qu'elle est « la mère de César », périphrase à la fois utile pour informer le spectateur et, dans le contexte, parfaitement justifiée, puisqu'il ne convient pas qu'elle « erre » dans le palais encore endormi « sans suite et sans escorte », et qu'elle attende seule à la porte de Néron que celui-ci se réveille et veuille bien la recevoir. Si le rôle d'Albine outrepasse ici la fonction de confidente jusqu'à lui conseiller fermement : « Madame, retournez dans votre appartement », c'est parce qu'elle estime que la conduite d'Agrippine est contraire à la bienséance et même dangereuse.

## III. Composition de cette scène

**1.** Les illusions d'une confidente peu avertie (v. 1-30).
**2.** La tragique lucidité d'une mère (v. 31-58).

## IV. Lecture plus précise de cette exposition

### 1. L'annonce du conflit tragique

La conduite d'Agrippine traduit un profond désarroi qui va l'amener, pour répondre à l'étonnement d'Albine, à lui faire des confidences auxquelles elle ne s'était pas encore livrée : son fils, à qui elle a donné l'Empire au prix de crimes atroces, s'éloigne d'elle peu à peu. Si elle se confie à Albine au début de la pièce, c'est parce qu'il s'est produit, pendant la nuit, un événement d'une exceptionnelle gravité, l'enlèvement de Junie. La versification rend compte de l'inquiétude d'Agrippine sur l'évolution de Néron. Ainsi, par exemple, le vers 12, « Las de se faire aimer, il veut se faire craindre », montre, par le parallélisme des deux hémistiches, les effets de reprise et d'opposition, que, pour Agrippine, le destin de Néron est en train de basculer : arrivé au carrefour où il doit choisir de continuer sur la voie de la vertu ou de la quitter pour entrer dans celle du vice, il vient, semble-t-il, d'opter pour la seconde solution. Le premier hémistiche nous apprend, en effet, et cette rapide indication sera confirmée dans un instant par Albine (vers 23-30), que si, jusque-là, Néron a su « se faire aimer », c'est moins par vertu que par goût des applaudissements. La pièce commence au moment où, le plaisir de « se faire aimer » ayant fini par s'émousser, Néron a de plus en plus de mal à contenir l'envie de « se faire craindre ».

## 2. Une leçon d'histoire

Même si les spectateurs (ou les lecteurs) connaissent les grandes lignes historiques du règne de Néron, les premiers vers de la tragédie rappellent avec habileté la situation et l'instant exact où commence l'histoire : tout d'abord, par des retours en arrière successifs, le dialogue des deux personnages récapitule le temps de la république et des consuls, et les débuts de la dynastie julio-claudienne. Sont ainsi évoqués avec naturel et brièvement caractérisés en rapport avec la situation présente : le règne d'Auguste, le premier empereur (v. 30), celui de Caligula, le propre frère d'Agrippine (v. 40-43), de Claudius, le père de Britannicus. Agrippine fait aussi une rapide allusion à la double ascendance de Néron, qui appartient par sa mère à cette prestigieuse et tragique dynastie, et par son père à une ancienne famille aristocratique, la *gens domitia*. De même sont rappelées par Albine l'usurpation du pouvoir impérial au profit de Néron et les trois premières années paisibles et heureuses de son règne. Comme le précise Racine dans sa préface, la tragédie commence au moment même où Néron bascule dans la « monstruosité » qui l'a rendu si tristement célèbre dans l'histoire, à la suite des récits des historiens latins Tacite et Suétone.

### 3. Le portrait des personnages

Le discours d'Agrippine et celui de sa confidente dessinent le portrait des personnages clés de la tragédie : Agrippine apparaît d'emblée comme une figure d'autorité, orgueilleuse et intransigeante, par le ton brusque et injonctif qu'elle utilise : « Mais qu'il songe un peu plus qu'Agrippine est sa mère ! » Ce trait est également indiqué par l'importance de sa prise de parole par rapport à celle d'Albine. Ce qui frappe, dès cette première scène, c'est le cynisme d'Agrippine, qui n'a conspiré et assassiné pour donner le pouvoir à son fils que pour en tirer elle-même le bénéfice, et non pour le bien de Rome ou la gloire de Néron. Elle-même trace son portrait en creux, en rappelant « la fierté » de ses ancêtres. Cependant, si terrible que soit le personnage d'Agrippine, elle suscite aussi la pitié par la lucidité dont elle fait preuve et la contrainte qu'elle s'impose en suppliant de voir son fils, « seule à sa porte » (v. 4). En fait, comme en une vision prémonitoire, la première apparition d'Agrippine est celle d'une figure hagarde, abandonnée de tous, « errant dans le palais sans suite et sans escorte ». Néron n'est pas présent dans cette première scène, mais il occupe une place prépondérante, non seulement dans les paroles, mais aussi dans la représentation des personnages présents : pour Albine, de condition inférieure, il est politiquement César, celui qui règne sur Rome. Elle trace un portrait flatteur du jeune empereur, insistant sur son sens du devoir, ses vertus, et le qualifiant d'« empereur parfait ». Du point de vue psychologique, elle rappelle sans ambages toute la gratitude qu'il doit à Agrippine, considérée d'abord en tant que mère, mais aussi comme agent de son pouvoir au prix d'une injustice, la substitution d'un héritier à l'autre, ce rappel se faisant au détour d'une diérèse et d'une rime :

> « Vous qui déshéritant le fil de Claudius,
> Avez nommé César l'heureux Domitius ? »
>
> (I, 1, v. 17-18).

Dans la série de questions qui scandent la deuxième tirade d'Agrippine et qui traduisent son désarroi, les termes abstraits utilisés, « haine », « plaisir de nuire » et « malignité », concourent à préciser le portrait moral de Néron et à induire le comportement du personnage dans la suite de la tragédie.

## V. Quelques éléments de conclusion

**Le début de la scène d'exposition peut être caractérisé par :**

**1.** L'exposition de *Britannicus*, un modèle du genre.

**2.** L'efficacité de la présentation des personnages (présents ou absents sur scène).

**3.** La mise en place du conflit tragique dans toutes ses composantes, politique et sentimentale.

**4.** Le naturel de la situation malgré l'unité de lieu, « une chambre du palais de Néron ».

**5.** Les rapports étroits du sens et de la versification (rimes, coupes, rythme).

---

### AUTRES SUJETS TYPES

- Le théâtre, genres et registres : le lyrisme amoureux entre tendresse et cruauté.
- Argumentation : l'affrontement entre les personnages.
- Le théâtre, texte et représentation : la bienséance dans le théâtre classique.
- Les fonctions du récit dans la tragédie.
- Le dénouement.

---

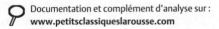

Documentation et complément d'analyse sur :
www.petitsclassiqueslarousse.com

# Outils de lecture

**Action**
Succession des événements
dans une pièce de théâtre.

**Alexandrin**
Vers de douze syllabes, composé
de deux hémistiches séparés
par la césure.

**Bienséances**
Ensemble des règles morales
auxquelles un auteur doit
se conformer pour ne pas
choquer le spectateur.

***Catharsis***
Mot grec qui signifie « purgation »
et qui est employé à la suite
d'Aristote pour désigner l'effet
produit par la tragédie
sur le spectateur.

**Classicisme**
Mouvement littéraire
et esthétique du XVIIe siècle fondé
sur l'imitation des Anciens,
l'équilibre et la symétrie, la raison
et la vérité morale.

**Didascalies**
Indications figurant dans
une pièce de théâtre. Externes,
elles ne sont pas prononcées
par les acteurs ; internes,
elles figurent dans les paroles
des personnages.

**Diérèse**
Prononciation détachée
des syllabes d'un mot
dans un vers (*Do-mi-ti-us*).

**Distique**
Ensemble de deux vers
dont l'association fait sens.

**Élégie**
Poème de la plainte,
de la souffrance.

**Exposition**
En général, début de la pièce
de théâtre qui donne les éléments
nécessaires à la compréhension
de l'histoire (lieu, temps,
personnages, action).

**Hypotypose**
Figure de style consistant
en une description
particulièrement expressive
et frappante.

**Intrigue**
Ensemble des événements
de l'histoire déterminés
par les relations entre
les personnages.

**Jansénisme**
Doctrine de Jansénius,
évêque d'Ypres, publiée
dans un ouvrage posthume,
l'*Augustinus*. Elle met en doute
le libre arbitre et n'attend
le salut que de Dieu et non
du mérite.

**Lyrique**
Registre relatif à l'inspiration
et à l'émotion poétique.

**Monologue**
Discours prononcé
par un personnage seul
sur la scène (ou qui croit l'être).

**Pathétique**
Registre qui vise à susciter
l'émotion et la tristesse.

# Outils de lecture

**Péripétie**
Événement qui modifie le cours de la progression dramatique.

**Récit au théâtre**
Longue tirade où un personnage raconte un événement qui s'est déroulé hors de la scène.

**Scène**
Lieu du théâtre où se déroule l'action par opposition à la coulisse ; unité textuelle déterminée par l'entrée ou la sortie d'un personnage.

**Stichomythie**
Dialogue où les personnages se répondent vers à vers.

**Stoïcisme**
Philosophie antique prônant la vertu et la raison comme mode d'accès au bonheur.

**Tirade**
Longue réplique d'un personnage.

**Versification**
Art de créer des vers : on distingue la métrique pour le rythme de vers et la prosodie pour la mélodie.

**Vraisemblance**
Dans le théâtre du XVIIe siècle, volonté de rendre les faits racontés crédibles.

# Bibliographie
# et filmographie

**Sur le théâtre au XVIIᵉ siècle**

- *La Dramaturgie classique en France,* Jacques Scherer, Nizet, 1950.

- *La Vie quotidienne des comédiens au temps de Molière*, Georges Mongrédien, Hachette, 1966.

- *Album théâtre classique*, Sylvie Chevalley, Gallimard, coll. « Bibliothèque de La Pléiade », 1970.

- *Lire le théâtre*, Anne Ubersfeld, Éditions sociales, 1982.

**Sur Racine**

- *Racine*, Jean-Louis Backès, Seuil, coll. « Écrivains de toujours », 1981.

- *Sur Racine*, Roland Barthes, Seuil, 1963.

- *Les Grands Rôles du théâtre de Jean Racine*, Maurice Descotes, PUF, 1957.

- *Racine et la tragédie classique*, Alain Niderst, PUF, coll. « Que sais-je ? », 1978.

- *Racine. La Stratégie du caméléon*, Alain Viala, Seghers, 1990.

**Aspects du théâtre au XVIIᵉ siècle au cinéma**

- *Marquise* de Véra Belmont (1997), avec Sophie Marceau dans le rôle de la belle comédienne aimée de Racine.

- *Saint Cyr* de Patricia Mazuy (2000), avec Isabelle Huppert, qui décrit le projet de Mme de Maintenon de donner une éducation soignée aux jeunes filles nobles sans fortune.

# Crédits
# Photographiques

Direction de la collection : Carine Girac-Marinier
Direction éditoriale : Jacques Florent, avec le concours de
Romain Lancrey-Javal
Édition : Jean Delaite, avec la collaboration
de Marie-Hélène Christensen
Lecture-correction : service Lecture-correction Larousse
Recherche iconographique : Valérie Perrin, Laure Bacchetta
Direction artistique : Uli Meindl
Couverture et maquette intérieure : Serge Cortesi
Responsable de fabrication : Marlène Delbeken

*Photocomposition* : Nord Compo à Villeneuve-d'Ascq
*Impression Rotolito Lombarda (Italie)* - 300349/03
*Dépôt légal* : Août 2006 - N° de projet : 11021320 - Novembre 2012